En pages précédentes :
La Roque-Gageac, village blotti entre la falaise et la rivière Dordogne,
est une halte obligée pour celui qui parcourt le Périgord.

En page de titre : le château de Losse surplombe la Vézère.

CRÉDIT PHOTOGRAPHIQUE

Pascal MOULIN : pp. 2-3, 8, 14, 16 haut, 19, 20 bas, 26, 27, 30, 32 bas, 33 bas, 35, 36, 37, 40-41, 42, 43 bas, 45, 47, 48, 49 bas, 52, 53 bas, 55, 60, 63, 65, 67, 72, 73, 74, 78, 79 haut, 80, 84 gauche, 86, 88, 89.
Guy-Marie RENIÉ : pp. 9, 10, 11, 12, 13 bas, 15, 16 bas, 17, 18, 20 haut, 21, 22, 23, 24 bas, 25, 28, 29, 31, 32 haut, 34 haut, 38 bas, 39, 43 haut, 44 haut, 46, 49 haut, 50 haut, 51, 53 haut, 54, 56, 57, 58, 59, 61, 62, 64, 68, 69, 70, 71, 75, 77, 79 bas, 81, 87, 90, 92. Hélène LAGARDÈRE : pp. 13 haut, 44 bas, 66. Jean-Paul GISSEROT : pp. 24 haut, 33 haut, 34 bas, 50 bas. Centre d'action touristique de la région bergeracoise : p. 38 haut. MAN : p. 82 haut. R. DELVERT : pp. 82 bas, 83. Alain ROUSSOT : p. 84 droite. B. et G. DELLUC : p. 85 haut.
J. PLASSARD : p. 85 bas.

Périgord

Du même auteur

Brantôme, Amour et Gloire aux temps des Valois, Albin Michel, 1986.

L'Estuaire, « Rivière de Gironde », en collaboration avec E. Audinet, J.-L. Chapin et J.-C. Ittel, L'Horizon Chimérique.

Montaigne, maire de Bordeaux, rédaction de la partie historique, L'Horizon Chimérique.

La Dordogne des bateliers, Tallandier, rééd., 1995.

Etienne de La Boétie, Editions Sud Ouest, 1995.

Anne-Marie Cocula

Périgord

Photographies de Pascal Moulin et de Guy-Marie Renié

EDITIONS SUD OUEST

Les bories de pierre sèche, comme celles du village du Breuil, ont longtemps passé pour avoir été bâties par les Gaulois ; il n'en est rien. Celles-ci sont plus probablement du XVIIIe siècle et symbolisent à merveille le Périgord.

Les bories de pierre sèche du village du Breuil.

Le Périgord, unique et divers

Une carte récente des « régions naturelles » de la Dordogne, dressée par le ministère de l'Agriculture, divise le département en sept régions : au nord, le Ribéracois et le Nontronnais, au centre, le Périgord blanc, de loin le plus étendu, à l'ouest, les deux massifs forestiers de la Double et du Landais, au sud, le Bergeracois, au sud-est, le Périgord noir. Plus poétiquement, il est d'usage, dans les guides, de signaler aux touristes qu'il existe quatre Périgord aux couleurs bien distinctes : le vert, au nord, qui doit sa couleur d'espérance à l'abondance de ses prairies arrosées de nombreux ruisseaux. Le blanc, au cœur du département, avec pour référence la blancheur bleutée ou grisée de falaises calcaires profondément entaillées par les lits encaissés des rivières. Le pourpre, qui se confond avec le Bergeracois et reflète la teinte automnale des vignes débarrassées de leurs lourdes grappes. Le noir, au sud-est, qui

La vallée du Dalon, petit affluent de l'Auvézère. A cet endroit s'élevait la forteresse de Moruscle dont il ne reste à peu près rien.

doit sa couleur sombre aux forêts de chênes verts à feuilles persistantes qui recouvrent les coteaux du Sarladais. De leur côté, les climatologues, qui ont le souci de mettre en valeur les contrastes météorologiques aux quatre points cardinaux d'un département pourtant bien tempéré, distinguent un secteur ouest ouvert aux influences océaniques qui perdent de leur force en remontant la vallée de la Dordogne, une partie orientale prédisposée aux étés chauds et secs annonciateurs des chaleurs quercinoises, un secteur nord exposé à la rigueur des hivers limousins, et enfin une zone méridionale, au sud de la vallée de la Dordogne, bénéficiaire en toutes saisons de l'ensoleillement et de la moindre humidité des pays de la moyenne Garonne. Quant aux géographes, ils ont à cœur de rappeler que de grandes rivières – La Dronne, l'Isle, l'Auvézère, la Dordogne et la Vézère – découpent le Périgord en « pays » individualisés où la diversité est de règle

Au pied de l'ancien collège des Jésuites, Sarlat déploie ses ruelles, places et passages témoins d'un passé faste si l'on en juge par la qualité architecturale de ses hôtels particuliers.

Vieille maison de Bergerac, ville qui fut la rivale de Sarlat et Périgueux.

et où les contrastes entre coteaux et vallées composent l'ordinaire de paysages toujours renouvelés parce que toujours différents. Enfin, dans cette revue des différences périgourdines, il est fréquent de souligner les rivalités qui ont opposé Bergerac, Périgueux et Sarlat, les trois principales cités du Périgord. N'ont-elles pas gardé de leurs destins contrastés une certaine indépendance, non exempte de regrets, et une certaine réticence à l'égard de la décision administrative qui a fait de Périgueux le chef-lieu du département ? Autant de raisons qui permettent de s'interroger sur l'existence d'un Périgord ou de douter de la réalité d'une identité périgourdine.

Pour les historiens du Périgord qui, depuis le XVIe siècle, se sont passionnés pour le passé de leur province, la réalité est à l'opposé de ces tentations de séparatisme ou d'écartèlement. C'est parce qu'il existe une unité fondamentale, forgée à travers les siècles et à travers les épreuves, que les Périgourdins peuvent se permettre d'insister sur leur diversité, voire d'afficher leurs différences ou de rappeler leurs divergences. Cette cohésion fondamentale n'est ni le fruit du hasard, ni la conséquence de découpages administratifs. Elle résulte d'un très long parcours historique traversé de crises majeures et jalonné d'étapes dont la durée se réduit à mesure qu'elles se rapprochent d'aujourd'hui. La première d'entre elles regroupe les naissances successives qui permettent à la province d'exister et de trouver sa place dans le royaume de France. Cette très longue période d'un millénaire et demi débute

Le vieux Périgueux est riche de places charmantes où il fait bon s'asseoir et se reposer à l'ombre de l'histoire.

avec l'installation de la nation gauloise des Pétrucores qui a donné son nom au Périgord. Elle englobe les siècles du Moyen Age pour se terminer à la fin de la guerre de Cent Ans, scellée, en 1453, par la bataille de Castillon à la frontière du Périgord et du Bordelais. Les trois siècles suivants sont ceux de l'affirmation d'une identité périgourdine. De résistances en résistances durant les guerres de Religion et les tempêtes paysannes du XVIIe siècle, elle trouve sa raison d'être et son expression durant le siècle des Lumières, caractérisé en Périgord par la persistance d'ombres tenaces. Les premières années de la Révolution n'apportent qu'une satisfaction partielle à la revendication d'un retour à l'autonomie

La grande falaise des Eyzies, qui « donna naissance » à Cro Magnon, recèle un nombre considérable de gisements préhistoriques dont celui de l'abri Pataud qui héberge un musée de site.

provinciale, réclamée par les cahiers de doléances. Et la création du département de la Dordogne, en 1790, n'est seulement qu'une consolation. La troisième et dernière étape, contemporaine des XIXᵉ et XXᵉ siècles, est celle de l'épanouissement de l'identité périgourdine. Elle résulte de la conjonction de plusieurs facteurs favorables hérités du passé de la province ou issus des révolutions politique, économique, démographique et scientifique du XIXᵉ siècle. Ce moment-là coïncide avec les découvertes en chaîne des principaux gisements préhistoriques qui doivent plus au cheminement de la science qu'au simple hasard de trouvailles et d'explorations. Leur datation permettra de reculer, jusqu'à « la nuit des temps », les origines du Périgord et de faire de lui, en un raccourci saisissant, le pays de l'Homme. Est-il meilleure consécration d'une identité ?

Les mosaïques gallo-romaines de la villa de Montcaret.

Naissances du Périgord

LA NATION FONDATRICE DES PÉTRUCORES

Les Pétrucores entrent dans l'histoire lors de la guerre des Gaules, en 52 av. J.-C., au moment où Vercingétorix, assiégé dans Alésia, réclame des renforts militaires aux tribus gauloises. Parmi elles, les Pétrucores doivent envoyer 5 000 hommes. Le chiffre élevé de ce contingent signale l'importance de cette nation gauloise alors implantée dans la région qui deviendra le Périgord. Par une constance remarquable, qui est plus qu'une coïncidence, le territoire reconnu aux Pétrucores, avant l'arrivée de César, est

En arrière-plan, enchâssé dans une boucle de l'Auvézère, le « camp de César » de Sainte-Eulalie-d'Ans. Il fut, dit-on, occupé par les Romains.

celui des Périgourdins d'aujourd'hui. Jean-Pierre Bost a justement souligné l'importance d'une telle pérennité qui triomphe des vicissitudes d'une histoire de plus de deux mille ans : « Malgré quelques modifications intervenues au fil des siècles, le cadre ainsi défini s'est perpétué à travers la cité d'époque romaine puis le diocèse médiéval, jusqu'au département actuel de la Dordogne. » A cet

héritage primordial s'ajoute celui de la résistance à l'envahisseur romain. Conscient de cette attitude, il aura l'habileté de composer, après la conquête, avec ceux qui lui ont tenu tête. L'intégration du territoire des Pétrucores dans la province d'Aquitaine, en 16 av. J.-C., tient compte de la reconnaissance de la dignité des vaincus qui les met à l'abri d'un asservissement. La preuve en est dans le choix du nom de leur capitale emprunté à l'une de leurs divinités indigènes : Vesunna. Conçue pour recevoir l'agrément des élites locales appelées à collaborer avec Rome, la cité est l'outil primordial d'une romanisation juridique, administrative et architecturale, sans oublier l'implantation de routes qui convergent vers elle et l'enserrent dans un réseau militaire et commercial sur lequel l'administration impériale est souveraine. L'édification de la ville et la construction de monuments comme les arènes ou le temple de Vésone, dont subsiste l'imposante tour, participent à cette entreprise de longue haleine d'une assimila-

Périgueux, la tour de Véso-ne, ancienne cella d'un temple gallo-romain.

tion progressive dans le respect des traditions chères aux Pétrucores. Seul l'affaiblissement de l'Empire pouvait mettre en péril cet équilibre en accentuant la menace de l'arrivée des Barbares.

Dès la fin du IIIe siècle, les habitants de Vésone construisent des remparts avec les pierres de leurs monuments sacrifiés et démolis pour mieux garantir à leur cité un espace de vie en sécurité. Mais cette ville n'est plus qu'une peau de chagrin par rapport à la cité antique. En laissant hors les murs plus des neuf dixièmes de son territoire, Vésone a choisi de préserver son destin de capitale des Pétrucores. Au milieu du IVe siècle, l'implantation d'un diocèse et l'installation d'un évêque constituent une nouvelle protection dont les Périgourdins expérimentent la solidité cinquante ans plus tard lors du terrible passage des Germains, en 407. Les remparts de Vésone n'ont pas résisté à ces envahisseurs expérimentés et avides de butin, mais l'évêque Pegasius aurait, selon le témoignage de Paulin de Nole, fait preuve d'un grand courage afin de sauver les habitants de la cité. La seconde vague d'invasions, celle des Wisigoths, convertis à l'arianisme, fut moins brutale et bien plus durable. Installés en Aquitaine au Ve siècle, ils cohabitent avec la population locale avec le consentement de l'administration impériale. La chute de l'empire romain d'Occident, en 476, les prive de ce soutien politique et les expose aux rancœurs des évêques catholiques qu'ils ont persécutés. Clovis, le roi franc nouvellement converti, sait exploiter au mieux cette situation pour faire valoir ses ambitions de conquérant. En 507, vainqueur à Vouillé d'Alaric II, le roi des Wisigoths, il annexe l'Aquitaine. Avec elle, le Périgord fait son entrée dans le royaume franc. Il a conservé de l'occupation séculaire des Wisigoths une toponymie révélatrice d'établissements dont l'implantation est militairement stratégique ou économiquement favorable. Sans surprise, ils se trouvent concentrés dans les vallées de la Dordogne et de la Vézère dont la mise en valeur est bien antérieure.

14

LES SIÈCLES DES MONDES CLOS

La disparition de l'Empire romain, le reflux des Wisigoths et la conquête franque annoncent les siècles du haut Moyen Age, ceux des mondes clos qui se constituent alors en Occident. Nées de l'insécurité, ces cellules de vie, refermées sur elles-mêmes, représentent une garantie de survie. Elles trouvent en Périgord un territoire d'élection comme en témoigne le premier âge des châteaux en bois édifiés sur des tertres ou perchés sur des rochers. Leur construction répond à ce souci primordial de protection et à la nécessité vitale de surveiller les principaux lieux de passages comme le cours des rivières navigables, itinéraires obligés de tous les envahisseurs. Le peuplement est encouragé par ces sites fortifiés qui offrent une protection permanente et deviennent un refuge en cas de nécessité.

Ce renfermement crée de nouvelles hiérarchies et de nouvelles relations qui modifient l'organisation de la société et en accentuent les contrastes. La dureté des temps distingue ceux qui s'adonnent au métier des armes. Successeurs d'une aristocratie rurale, elle-même héritière des grands propriétaires des domaines

Sur ce site fortifié par l'évêque Frotaire pour empêcher les Normands de remonter l'Auvézère jusqu'à Cubjac, fut bâtie la chapelle d'Auberoche.

15

Le château de Montfort domine et surveille la Dordogne d'un à-pic de 90 mètres.

Le grand donjon octogonal du château de Bourdeilles veille sur le village et la Dronne.

gallo-romains, ces soldats représentent les toutes premières générations des ancêtres d'une noblesse dont la qualification officielle ne date que du début du XIIIᵉ siècle. Leur force, leur rôle et leur petit nombre font d'eux des dominants par rapport à tous ceux qui s'apprêtent, par nécessité, à devenir leurs dépendants : tel est le sort des travailleurs du monde rural, artisans et paysans. Au sein de cette société contrastée, le rôle d'intermédiaire est assuré par les rares représentants d'une administration encore embryonnaire. Dans ces conditions, il reste bien peu de place à l'autorité souveraine ou présumée telle. Les successeurs de Clovis, trop occupés à se partager son royaume, en font l'amère expérience pour le plus grand profit de ducs d'Aquitaine avides d'indépendance. L'un d'eux, le duc Waïfre, subit la dure loi de la reconquête menée de main de fer par Pépin le Bref dès son accession à la royauté en 751. Waïfre fait alors du Périgord son territoire de guérilla et pratique la politique de la terre brûlée pour retarder l'avance de son adversaire. Il ne doit provisoirement son salut qu'à l'épaisseur des forêts de la Double. C'est là que Pépin le Bref, pressé d'en finir, le fait assassiner par l'un de ses proches. En 768, Charlemagne hérite d'une province pacifiée et peut honorer le Périgord de sa présence et de sa volonté d'y rétablir une administration. La preuve en est donnée, en 779, par la création d'un comté du Périgord avec le comte Widbod à sa tête.

Beynac. Le château surplombe la Dordogne en faisant face à son éternel rival : Castelnaud.

UNE DYNASTIE À L'ÉPREUVE DES TEMPS : LES COMTES DE PÉRIGORD

Les premiers comtes, à l'instar de Widbod, furent obéissants vis-à-vis du pouvoir qui les avait mis en place. Leurs successeurs, dont l'émancipation est contemporaine du péril majeur des invasions normandes, le furent beaucoup moins. Dès 845, ces envahisseurs venus de la mer ont appris à remonter en Aquitaine les chemins fluviaux qui les mènent vers l'intérieur des terres, à la recherche de butins dont les plus prisés sont les trésors d'Eglise. En 849, ils incendient Périgueux et pillent la toute jeune abbaye de Brantôme. Satisfaits de cette première expédition, ils renouvellent leurs raids dévastateurs durant les décennies suivantes. Leur menace permanente est l'occasion pour le comte Vul-

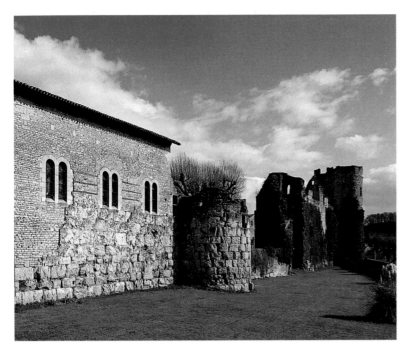

A gauche : Périgueux. Le château Barrière fut construit en grande partie en remployant des matériaux des bâtiments gallo-romains de l'antique Vésone, d'où la présence de nombreux blocs sculptés enchâssés dans son mur d'enceinte.

A droite : Montignac. De l'ancien et superbe château ne restent que quelques pans de mur qui dominent la vieille ville.

grin de rompre des liens distendus avec la royauté et de fonder une dynastie : à sa mort, en 886, il désigne son fils Guillaume pour lui succéder en Périgord. Celui-ci, devenu Guillaume Ier, eut un règne assez long, jusqu'en 920, pour ancrer sa dynastie. Et ses descendants eurent assez d'enfants pour procurer une belle longévité à sa lignée qui se perpétue jusqu'en 1399, soit plus d'un demi-millénaire depuis l'accession de Vulgrin à la tête du comté en 866...

Dans un royaume considérablement affaibli par la constitution de principautés autonomes, les descendants de Vulgrin et de Guillaume Ier ne se privent pas de proclamer haut et fort leur indépendance. L'un d'eux, Aldebert Ier, a même inscrit son nom dans l'histoire en lançant à Hugues Capet et à son fils Robert cette apostrophe fameuse, éclairante pour les origines de la monarchie française : « Qui vous a faits rois ? » Aldebert savait fort bien ce qu'il disait en interpellant de la sorte celui que les comtes et ducs de Francie occidentale venaient de proclamer roi en 987. Il lui rappelait sans ménagement qu'il n'était qu'un élu parmi ses pairs et que sa fonction n'était donc pas héréditaire. Aldebert avait-il déjà effacé de sa mémoire, au bout d'un siècle, les origines du pouvoir de sa maison comtale ? En tout cas, son apostrophe, qui en dit long sur ses rapports d'insubordination avec le premier des Capétiens, oublie ou veut oublier que le tout nouveau roi de France a pris la précaution de se faire sacrer et d'associer son fils Robert à la couronne. A son tour, cent ans après le comte Vulgrin de Périgord, Hugues Capet choisissait de fonder une dynastie.

Même exposée aux vicissitudes du temps, aux violences familiales, aux alliances matrimoniales tumultueuses et aux règlements de compte, tous matière à plusieurs romans historiques aux rebondissements dignes d'Alexandre Dumas, cette longue lignée comtale a marqué le Périgord de son empreinte. Certes, son territoire a varié au gré des donations faites à l'Eglise et à cause de l'appétit de

18

terres des vicomtes du Limousin et des évêques d'Angoulême, mais l'essentiel de ses possessions repose sur une solide assise centrale, entre les vallées de la Dronne et de la Dordogne, qui lui donne autorité sur Périgueux, la seule ville du Périgord. En même temps, les comtes ont su rallier des fidèles, gardiens des châteaux primitifs installés sur les axes fluviaux et terrestres qui donnent accès au cœur du comté. Ces vassaux en puissance ne pouvaient se passer de la protection comtale qui, à son tour, avait besoin d'eux. Echange de bons procédés qui conduit à la vassalité et permet de résister aux puissants lignages qui grandissent à la périphérie du comté. A l'est, les vicomtes de Limoges ne contrôlent-ils pas les châtelains d'Hautefort, de Salignac, de Montignac et de Terrasson ? Au sud, la maison de Bergerac n'est-elle pas en train d'affirmer son autonomie à l'égard des comtes ? Cette sauvegarde incessante d'un comté convoité par ses voisins est, à elle seule, une arme de résistance. Enfin, les comtes ont su rallier à leur cause la première force constitutive d'une unité en Périgord : l'Eglise et les clercs du diocèse de Périgueux. La profonde similitude entre leurs territoires respectifs étant le meilleur atout de leur rapprochement.

SAINT FRONT, LE PROTECTEUR DES PÉRIGOURDINS

Dès le départ des Wisigoths, la christianisation a repris en Périgord. Elle est l'œuvre d'évêques qui mettent leurs pas dans les empreintes de leurs prédécesseurs après un siècle de persécutions religieuses. Le plus ancien, l'évêque Chronope (506-533), eut la belle et rude tâche de relever les églises en ruines et d'en fonder de nouvelles. Parmi celles-ci se trouverait l'abbaye du Puy-Saint-Front, toute proche du tombeau de son saint patron. Même avancée dans le temps et auréolée par les récits merveilleux des *Vies de saints*, rédigés quelques siècles plus tard, cette implantation religieuse bouleverse le destin de Vésone, la capitale des Pétrucores. Ravalée au rang de cité, elle est peu à peu distancée par Périgueux, la ville blottie près de l'abbaye du Puy-Saint-Front. Chronope ne saurait être tenu pour responsable de ce déplacement du cœur de la ville puisque lui, ou l'un de ses proches successeurs, a fait édifier, dans la cité, la première cathédrale Saint-Etienne.

Est-ce encore le même évêque qui sut, le premier, invoquer le patronage de saint Front en le présentant comme l'évangélisateur du Périgord ? En tout cas, son culte commence à prendre forme au VIIe siècle et la rédaction de sa première *Vie* est contemporaine du IXe siècle, en même temps que l'émancipation des

Peinture murale à l'intérieur de la cathédrale Saint-Front : l'Eglise et les clercs du diocèse de Périgueux sont le ferment constitutif de l'unité périgourdine.

Grotte aménagée en crypte sous le chevet de la cathédrale Saint-Front. C'est dans un endroit semblable à celui-ci que saint Front priait et fut enseveli.

Dans la cathédrale de Périgueux, une série de vitraux du XIXe siècle retrace la vie de saint Front. Ici le saint, surmonté de la Coloubre, détruit une idole païenne.

comtes de Périgord. Qu'importe que saint Front ait ou non existé puisque sa présence spirituelle est bel et bien là pour soutenir l'action des hommes d'Eglise et celle des puissants laïcs qui les protègent, en attendant que des artistes donnent apparence et vie à sa personne, et sculptent dans le bois ou la pierre ses prouesses miraculeuses. Saint Front ne chemine pas au hasard, il est un évangélisateur qui sait où porter ses pas et ceux-ci le mènent vers des lieux où une vie religieuse, même fragile, existe déjà : ce sont les premières paroisses dont la création remonte en Périgord au Ve siècle. Elles sont encore peu nombreuses et donc très étendues. Aucune d'elles, évidemment, ne porte le nom du futur saint patron du Périgord ; elles s'appellent Saint-Pierre, Saint-Etienne ou Saint-Martin et s'apprêtent à donner naissance, à leur tour, à d'autres paroisses au fur et à mesure de la croissance du peuplement et de la progression des défrichements. C'est dans cette seconde vague de créations, entre le VIIe et le Xe siècle, que de nombreuses paroisses choisissent le patronage de saint Front. Rien n'est plus résistant que ce tissu paroissial, lentement fabriqué et toujours solide après plus d'un millénaire d'existence. Cette structure de vie a servi de canevas à la configuration des communes du département et à leur dénomination puisque cent cinquante d'entre elles, au moins, sont restées fidèles à leur saint patron !

Les premières grandes abbayes, fondées en Périgord aux IXe et Xe siècles, ont un terrain religieux déjà préparé même si certaines, comme Saint-Astier et Chancelade, se veulent héritières d'ermitages surgis de sombres forêts inhospitalières. D'autres, comme Brantôme, préfèrent être nées sous les pas de Charlemagne. Il est vrai que ses moines pouvaient s'enorgueillir d'appartenir à la plus ancienne abbaye périgourdine, sans doute fondée entre 814 et 817. Le monastère de Sarlat et l'abbaye de Paunat doivent dater eux aussi du IXe siècle, mais seuls les Normands, qui se sont acharnés à les piller puis à les détruire, pourraient témoigner de leur aspect et de leur richesse. C'est le Xe siècle qui les voit naître ou renaître à nouveau en une vague qui s'amplifie aux XIe et XIIe siècles. L'ensemble est impressionnant : il s'agit de Saint-Sauveur de Sarlat, devenue Saint-Sacerdos au début du XIIe siècle, de Brantôme, de Saint-Front de Périgueux, de Saint-Astier, de Saint-Jean-de-Côle, de Saint-Avit-Sénieur, de Chancelade, de Dalon – où Bertran de Born finit ses jours –, de Cadouin, de Peyrouse et de Boschaud, sans citer les nombreux prieurés périgourdins rattachés à des abbayes situées hors de la région. Cet ensemble cache une réelle diversité : celle des ordres religieux, bénédictin puis cistercien, auxquels appartiennent ces abbayes, celle de l'abondance de leurs richesses spirituelles et temporelles, celle, enfin, de leur rayonnement ou

de leur renommée. Saint-Front n'abrite-t-elle pas le corps du saint patron du Périgord ? Saint-Sacerdos ne détient-elle pas, outre le corps de ce saint, celui de sa mère, sainte Mondane, et un fragment de la vraie croix ? Cadouin, qui se flatte de posséder le saint suaire du Christ, la relique des reliques, n'est-elle pas devenue le lieu d'un grand pèlerinage qui dépasse les frontières du Périgord ? Quant à Chancelade, fondée en 1128, elle est dès ses origines un haut lieu de spiritualité. Mais toutes ces abbayes ont en commun, avec les églises et les chapelles qui leur sont contemporaines, d'offrir les plus grands chantiers et les plus belles commandes aux maîtres d'un art roman dont certains caractères peuvent être identifiés comme périgourdins.

Leur construction bouleverse le paysage. Jamais encore de tels édifices n'avaient grandi en Périgord à des endroits aussi éloignés les uns des autres. Les grands monuments antiques avaient été presque exclusivement réservés à Vésone, la capitale des Pétrucores. Désormais ruinés et abandonnés, ils avaient perdu leur âme. Le même destin avait frappé les confortables villas gallo-romaines du Bas-Empire, ruinées ou disparues au cœur de leurs anciens domaines, morcelés ou passés dans d'autres mains. Les premières églises, édifiées lors de la christianisation de la région, avaient été sacrifiées lors des invasions. Et les premiers châteaux n'avaient d'autre fonction que de défendre, sans prétention ni recherche architecturale. Rien n'était trop beau, au contraire, pour les édifices consacrés à Dieu et à ses serviteurs.

La chapelle de Saint-Martin-de-Limeuil, située à proximité de la confluence de la Dordogne et de la Vézère.

Un des chapiteaux de la nef de l'église abbatiale de Cadouin.

21

Le clocher de
Brantôme abri-
te de nombreux
chapiteaux au
décor primitif.

Ci-contre : l'im-
mense clocher
à gâbles de
l'abbaye de
Brantôme (XIe
siècle), qui
serait le plus
ancien du Péri-
gord.

22

Telle est la vocation de l'art roman périgourdin dont les premières créations datent des dernières décennies du XIe siècle. La plus ancienne est peut-être l'immense clocher à gâbles de Brantôme, édifié sur le rocher qui lui a servi de carrière. Durant la première moitié du XIIe siècle, les constructions deviennent plus nombreuses. Elles reflètent les caractéristiques d'un art roman périgourdin né d'un heureux mélange d'emprunts régionaux faits par des maîtres d'œuvre qui vont d'un chantier à l'autre dans la France méridionale. Ceux qui travaillent en Périgord affectionnent particulièrement la coupole sur pendentifs, qu'elle soit seule ou en files dans le cas de grands édifices comme Saint-Front, Saint-Etienne-de-la-Cité ou Saint-Avit-Sénieur. Ils apprécient aussi le recours à des structures fortifiées qui font de l'église un château fort avant

Brantôme et l'abbaye, qui est à l'origine de son développement, sont nichés contre la falaise creusée d'abris troglodytiques (ci-dessous).

Les restes du cloître de Boschaud, une des quatre abbayes cisterciennes du Périgord.

Ci-contre : la nef de l'église romane de Saint-Amand-de-Coly.

En page suivante : la halle de Cadouin et la façade à la simplicité toute cistercienne de l'abbaye qui contraste avec la richesse de la décoration (XVᵉ s.) du cloître. Ci-dessus, un détail du fauteuil de l'abbé.

que ceux-ci n'existent en Périgord : ainsi de l'église de Trémolat dont les fondements recouvrent un ancien établissement religieux du VIIᵉ siècle. Ces maîtres d'œuvre, qui excellent dans l'alliance de la sculpture et de l'architecture, peut-être inspirée par les monuments antiques de Vésone, se montrent plus discrets dans la décoration des façades, des portails et des chapiteaux même si, çà et là, un chapiteau sculpté, comme celui de Saint-Amand-de-Coly, ou les piliers d'une galerie de cloître, comme à Saint-Avit-Sénieur, ont pour prestigieux modèle le portail de Moissac.

Presque naturellement ces églises et ces abbayes nouvellement construites ont constitué des foyers de peuplement, certains éphémères, d'autres promis à une belle longévité comme Brantôme ou Saint-Astier, avec une mention toute particulière pour Sarlat qui naît et se développe à l'ombre de l'abbaye Saint-Sacerdos. Au milieu du XIIᵉ siècle, lors du passage de saint Bernard, elle n'est déjà plus un village, mais une petite ville dont les habitants, au siècle suivant, aspireront, avec l'aide du roi de France, à se libérer d'une tutelle monastique incompatible avec l'exercice de leur droit de bourgeoisie. Ce rôle des édifices religieux comme foyers de peuplement reste pourtant secondaire au regard de la grande alliance périgourdine des villages et des châteaux.

Le château de Beynac, siège d'une des quatre baronnies du Périgord.

Le site de Beynac : château au sommet, village blotti au pied, étiré sur la rive droite entre Dordogne et falaise.

CHÂTEAUX ET VILLAGES : UN MARIAGE DE RAISON

Il est bien difficile de dater les débuts de cette union. Ils sont sans doute contemporains du premier âge des châteaux, celui des mottes castrales qui s'édifient entre le Xe et le XIIe siècle sous le contrôle de « chevaliers » aux origines incertaines mais à la vocation militaire éprouvée. Ces premiers villages auprès des premiers châteaux ont pu disparaître en même temps qu'eux, corps et biens, saccagés par les mêmes adversaires et ensevelis sous la cendre des mêmes incendies dont on retrouve la trace, aujourd'hui, dans la terre des monticules où ils sont ensevelis. Le plus souvent ils ont survécu les uns et les autres, grâce à la solidité de l'alliance qu'ils représentaient : le châtelain y gagnait des dépendants pour l'entretien de la réserve seigneuriale, au cœur de son pouvoir. Et les habitants y gagnaient l'assurance d'une protection permanente et d'un refuge en cas de danger. Les premiers châteaux de pierre, apparus en Périgord au XIe siècle, assurent une pérennité à cette union comme en témoignent encore aujourd'hui, lovés ou agrippés au pied d'un château dominateur, les sites de Badefols, de Beynac, de Grignols, d'Excideuil, de Bourdeilles ou de Castelnaud. Curieusement, seul le nom de ce dernier lieu rappelle son origine de castelnau, c'est-à-dire de l'union reconnue entre le château et le peuplement qui lui a été subordonné. Les origines et le développement initial de Bergerac s'apparentent à la même situation. C'est le château au bord de la Dordogne, juché sur une motte protectrice, qui attire à lui, durant le XIe siècle, le bourg qui devient une petite ville au siècle suivant avant de s'enorgueillir, en 1209, de la construction d'un pont, le seul de la vallée pendant des siècles. Dès lors, les principaux gués de l'amont, entre Lalinde et Pontours, sont délaissés par tous ceux qui ont hâte de franchir sans encombre la rivière, notamment les pèlerins de Saint-Jacques-de-Compostelle.

Comme à Bergerac, les principaux sites castraux du Périgord ne sont jamais choisis au hasard, même si certains gardent une part de leur énigme comme Commarque, qui fut peut-être un château frontière élevé aux limites d'une chatellenie. La plupart sont édifiés au bord ou à proximité des grandes rivières navigables même si elles n'ont pas encore joué le rôle de frontières comme au temps de la guerre de Cent Ans. Pour l'instant, elles se contentent d'être le lieu de péages rémunérateurs, prélevés sur les bateaux chargés de marchandises et sur les bacs de passage d'une rive à l'autre. Ces situations riveraines ont besoin de la fortification naturelle d'une colline abrupte ou d'une falaise qui les rendent inaccessibles du côté de la rivière. Le château de Beynac offre à cet égard la meilleure des garanties, sans oublier l'immensité du point de vue sur les dangers pouvant surgir à l'horizon. Biron est aussi une incomparable vigie aux frontières du Périgord et de l'Agenais. En se dotant de donjons à la fin du XIIe et, surtout, aux XIIIe et

Castelnaud, rive gauche de la Dordogne, possède un intéressant musée de la guerre au Moyen Age.

XIVe siècles, les grands châteaux périgourdins perfectionnent leurs défenses intérieures et étendent encore plus loin vers l'extérieur le regard de leurs défenseurs, sans oublier l'attrait d'un certain confort dans les étages où résident le

L'actuel château de Haute-fort succède à la forteresse de Bertran de Born (troubadour prestigieux) qui eut une vie fort mouvementée avant de la terminer dans le recueillement de l'abbaye de Dalon toute proche.

maître des lieux et sa famille. Cette vie de château qui se dégage lentement d'un inconfort total, s'agrémente bientôt de récréations musicales et poétiques. Seuls peuvent s'y adonner de très rares privilégiés, fins connaisseurs des richesses de la langue d'oc et épris d'une culture chevaleresque adoucie au contact des hommes d'Eglise. Une école talentueuse de troubadours, née aux confins du Périgord et du Limousin, compte un disciple prestigieux en la personne du châtelain d'Hautefort, Bertran de Born, partagé entre le désir d'amour et la tentation d'une mort qui viendrait le surprendre sur le champ de bataille où gisent déjà les « heaumes peints et les écus tranchés par les épées ».

L'architecture dominatrice des châteaux n'est que le reflet d'une domination économique et sociale bien plus forte qui lie, au sein de la seigneurie, les tenanciers à leur seigneur. Là encore, la diversité est de règle, en Périgord comme ailleurs. Seuls quelques grands traits permanents peuvent être esquissés au sein d'un système qui évolue sans cesse et change selon la nature de la seigneurie ou la présence plus ou moins fréquente du seigneur. La dépendance seigneuriale des Périgourdins a pu être tempérée par un vaste mouvement de colonisation de terres nouvelles gagnées, aux XIe et XIIe siècles, sur les forêts de la Double, de Vergt et de Belvès. Ces conquêtes sur la nature sont assorties de conditions juridiques avantageuses aux défricheurs qui font avancer la frontière du peuplement sur le monde hostile des grands massifs forestiers. Les tenanciers des zones anciennement exploitées semblent avoir bénéficié d'un système qui préservait leur liberté, même s'il leur imposait le cadre et les contraintes d'une justice seigneuriale et des redevances en argent et en nature. L'existence de communautés paroissiale et villageoise a contribué à développer des solidarités qui s'expriment dans la rédaction de cou-

Bergerac : l'église Saint-Jacques rappelle le passage des pèlerins en route pour Saint-Jacques-de-Compostelle.

Commarque, dont le donjon émerge des arbres, demeure une énigme sur le plan de son usage militaire ; peut-être défendait-il la frontière d'une châtelennie.

29

Biron, une moisson de châteaux sur champs de blé.

Les machines de guerre, semblables à celles qui sont exposées à Castelnaud, n'ont cessé d'être utilisées durant les fréquentes guerres de châteaux en Périgord.

tumes négociées avec le seigneur, comme à Beynac au début du XIIIᵉ siècle ou à Issigeac au milieu du XIIIᵉ siècle. Même matériellement et militairement dominé par le château, le village n'était pas dépourvu de toute défense à condition que les temps s'y prêtent, c'est-à-dire que le climat et la paix amènent les récoltes à maturité. Dans le cas contraire, l'emprise seigneuriale s'alourdissait et devenait un carcan.

Par nécessité, les tenanciers périgourdins pratiquent une agriculture vivrière dont seuls les excédents, quand ils existent, font l'objet d'échanges. A sa base, des céréales – froment, seigle, avoine et méteil – complétées par l'appoint de légumes et de fruits constituent l'ordinaire de repas auxquel s'ajoutent les ressources essentielles de la forêt comme le miel et, surtout, les châtaignes, sans oublier les baies sauvages et les champignons. Même dans les foyers les plus modestes, le cochon est déjà l'animal providentiel à côté des quelques poules qui fournissent les œufs et servent de paiement pour les redevances en nature. Un vin de qualité médiocre est la boisson nécessaire qui mobilise des surfaces étendues de vignes. Ainsi, Périgueux est cerné de vignobles et, déjà, le long de la Dordogne, dans les seigneuries des abbayes riveraines, des vignes sont consacrées à l'exportation de vins en direction de Bordeaux, du Bordelais et de la lointaine Angleterre.

Un événement, aux conséquences encore imprévisibles, fortifie ces relations commerciales avant de les menacer durablement : en 1152, Aliénor, héritière du duché d'Aquitaine, à peine divorcée du roi de France Louis VII, épouse Henri Plantagenêt, comte d'Anjou et du Maine, duc de Normandie, devenu roi d'Angleterre en 1154. Comme le reste du duché d'Aquitaine, le comté de Périgord entre alors dans la mouvance anglaise. Le choix d'Aliénor modifie le destin du Périgord avec l'aide malheureusement efficace des deux fils nés de son nouveau mariage, Richard Cœur de Lion et Jean sans Terre, engagés dans une lutte fratricide pour le pouvoir.

LE PÉRIGORD ENTRE CAPÉTIENS ET PLANTAGENÊTS

Le Périgord subit la tourmente de leurs guerres relancées par de brusques renversements d'alliance entre des vassaux qui ne savent plus à quel frère se vouer ou qui jouent au plus fin pour tirer les marrons du feu de leurs propres ambitions. Le guerrier troubadour Bertran de Born en fait partie, lui dont le combat ressemble à celui des fils d'Aliénor. C'est pour récupérer son château de Hautefort des mains de son propre frère qu'il participe, en 1181, à la rébellion contre Richard Cœur de Lion. La restitution de son château le fait changer de camp, quitte à abandonner ses compagnons d'armes qui l'ont suivi au côté de Jean sans Terre. Est-ce le remords ou simplement le souhait de se rapprocher de Dieu qui le conduit vers les moines cisterciens de l'abbaye de Dalon pour y finir ses jours, en 1215 ?

Pris dans une hiérarchie vassalique qui les lie à leur suzerain, le roi-duc d'Angleterre, lui-même vassal du roi de France, les comtes de Périgord étaient bien placés pour faire les frais de l'antagonisme des Capétiens et des Plantagenêts. Hélie V, comte de Périgord durant la seconde moitié du XIIe siècle et donc parfaitement averti des risques encourus pour son lignage et sa région, sait exploiter au mieux les événements pour rallier le camp du roi de France, Philippe Auguste. A peine ce dernier vient-il de confisquer à Jean sans Terre son duché d'Aquitaine pour entorse grave au droit féodal qu'Hélie V, en 1204, accompagné de bourgeois du Puy-Saint-Front, va prêter hommage et fidélité au roi de France. Par ce geste d'une légalité et d'une habileté consommées, le vieux comte devenait le vassal direct du roi de France et préservait un avenir qui s'annonçait sous de sombres auspices. Avec la satisfaction du devoir accompli, il partit en croisade et y trouva la mort l'année suivante. Son fils, Archambaud Ier, renouvelle l'hommage en 1212 et, tant bien que mal, ce lien de fidélité est respecté par leurs successeurs durant tout le XIIIe siècle, même après le traité de Paris de 1259 où Saint Louis restitue à Henri III d'Angleterre ses fiefs aquitains. Archambaud III, dont le règne périgourdin occupe

Le château de Mareuil, siège d'une baronnie du Périgord, est un château de plaine qui commandait le nord de la province.

Monpazier, à la splendide et rigoureuse architecture, était une bastide anglaise. La place centrale est entourée de couverts.

La bastide de Villefranche-du-Périgord, dont on voit ici les mesures à grain reconstituées sous la halle, était française.

toute la seconde moitié du XIIIe siècle, eut à cœur de se maintenir dans la mouvance directe du roi de France, permise par le traité de Paris. Mais sa marge de manœuvre était étroite face aux prétentions des rois-ducs qui renforçaient leur emprise sur le Bergeracois après le difficile règlement de la succession des Rudel qu'ils avaient arbitrée. Toute la seconde moitié du XIIIe siècle est occupée par le face-à-face entre les territoires dépendant des Capétiens et ceux reconnus aux Plantagenêts. Divisé, convoité, le Périgord est devenu un enjeu pour des princes qui rivalisent de projets et de réalisations afin de s'attacher les seuls Périgourdins qui comptent : les châtelains et les bourgeois des villes. Avant d'en faire cruellement les frais, le reste des habitants en profite comme en témoigne le peuplement des bastides, ces villes nouvelles créées à proximité de la « grande frontière », au sud de la Dordogne.

Ce sont des pions placés non par hasard mais par nécessité stratégique afin de permettre aux princes ou à leurs officiers d'avancer leurs pièces maîtresses au bon moment. Aux bastides françaises de Sainte-Foy, Castillonnès, Villefranche-de-Périgord, Villeréal et Eymet, fondées entre 1255 et 1270, le roi-duc oppose celles de Lalinde, Beaumont, Molières et Monpazier, de 1267 à 1285. Certaines, comme Monpazier, sont des chefs-d'œuvre d'architecture urbaine, à la fois géométrique et fonctionnelle, tout entière inscrite dans la lignée des mondes clos qui échappent à l'insécurité des campagnes environnantes. Alors, pourquoi ne pas y habiter tout en se consacrant aux travaux des champs alentour ? Toutes, en effet, sont d'abord des lieux de colonisation rurale où se poursuit l'aventure des défrichements. Mais une aventure codifiée, avec octroi de libertés pour les habitants et de privilèges économiques qui leur permettent de se développer et de résister aux vicissitudes des temps. La plupart ont réussi et attiré à elles assez d'habitants pour accomplir leur destin de villes neuves. Sur le grand échiquier périgourdin des bastides, les comtes de Périgord n'étaient pas décidés à rester hors-jeu, même si leur participation était limitée par leurs moyens : ainsi, la fondation de Vergt, vers 1285, est à mettre à l'actif du comte Archambaud III.

Domme, bastide fondée par le roi de France en 1281, possède une excellente défense ; côté vallée, la Dordogne et la falaise à-pic suffisent ; de l'autre côté, avec la porte des Tours et les remparts.

Si la construction des bastides témoigne, à travers siècles, de la rivalité territoriale qui oppose au XIIIᵉ siècle le roi de France au roi d'Angleterre, les deux souverains ont alors d'autres fers au feu à l'efficacité éprouvée pour marquer la région de leur empreinte. Parmi eux, la mise en place d'une administration chargée non seulement de les représenter et de séjourner dans des lieux où les princes ne sont que de passage, mais aussi de les renseigner et de les avertir des dangers. A la tête de ce dispositif se trouvent des hommes de confiance placés sous la responsabilité du premier d'entre eux : le sénéchal. Dès lors, il y eut en Périgord trois sénéchaux pour représenter les intérêts de trois administrations rivales : le sénéchal du roi-duc, celui du comte de Périgord et celui du roi de France. C'est à ce dernier que revient, en 1281, la fondation de Domme dont le site est la meilleure des protections aux limites du Périgord et du Quercy. Elle annonce les audaces du règne de Philippe le Bel qui débute quatre ans plus tard. Profitant de la reprise de la guerre entre la France et l'Angleterre et de la confiscation du duché d'Aquitaine, en 1294, le roi de France fait occuper le Périgord méridional et répugne à le restituer une fois la paix revenue, en 1303. L'emprise capétienne l'emporte alors sur celle des Plantagenêts, comme si les torts d'Aliénor étaient enfin réparés. Mais pour combien de temps ? Le siècle qui vient de s'écouler et la période de paix relative qui s'instaure au début du XIIIᵉ siècle ont permis l'émergence de nouveaux pouvoirs en Périgord : ceux des bourgeois des trois cités qui peuvent alors prétendre à l'appellation de ville : Périgueux, Bergerac et Sarlat.

Molières, bastide anglaise, conserve la maison du bayle.

La cathédrale de Périgueux domine le vieux quartier du Puy-Saint-Front où résidait la bourgeoisie.

Les coupoles de l'église de la cité, quartier où se regroupaient la noblesse et le clergé.

L'ENTRÉE EN SCÈNE DE LA BOURGEOISIE

Elle ne représente qu'une très faible part de la population de ces cités, dont le nombre d'habitants oscille alors entre 4 et 5 000, avec un chiffre plus élevé pour Périgueux, riche d'au moins 10 000 habitants durant les premières décennies du XIVe siècle. Dans un Périgord inondé de forêts avec des champs pour clairières, ces villes constituent des îlots protégés et privilégiés. Périgueux, la plus ancienne, doit à son histoire d'être une ville bicéphale dont les caractères, l'évolution et les tensions sont parfaitement connus grâce aux travaux d'Arlette Higounet. D'un côté, la cité, héritière de Vésone, de l'autre, le Puy-Saint-Front, la ville née au Moyen Age. Entre elles, un « Entre-deux-Villes » vide d'habitations. L'une et l'autre accueillent dans leurs murs des catégories sociales qui reflètent leur passé ou leur activité présente. La cité reste la résidence des groupes aristocratiques de l'Eglise et de la noblesse. Le Puy-Saint-Front est le creuset d'une bourgeoisie qui s'affirme au XIIIe siècle aux côtés des artisans et des marchands. En 1204, déjà, ses bourgeois accompagnent le comte de Périgord à l'occasion de l'hommage prêté au roi de France qui fait d'eux des « bourgeois du roi ». En 1251, ils obtiennent une constitution municipale qui scelle la naissance du consulat de Périgueux, instance de pouvoir d'un patriciat soucieux à l'extrême de ses prérogatives et privilèges.

Trois ans plus tard, en 1254, le roi-duc octroie « mairie et commune aux chevaliers et bourgeois de Bergerac » ; mais ils doivent attendre plus longtemps que leurs collègues de Périgueux la mise en place d'une organisation municipale qu'ils n'obtiennent qu'en 1322, à la suite d'un accord passé avec le seigneur du lieu. C'était la condition nécessaire pour une ville qui devait ses origines à son château et aux grands lignages qui s'y sont succédé. Cependant, les jurats de Bergerac avaient des raisons de se satisfaire du présent malgré leur situation exposée entre France et Angleterre. N'avaient-ils pas à leur disposition l'axe commercial vital de la Dordogne, dont ils contrôlaient le trafic entre le Libournais et tout un Haut Pays étendu jusqu'à l'Auvergne ? En même temps, la rivière faisait couler la manne fiscale des droits et péages qu'ils avaient appris à percevoir dans leurs ports à l'exemple des seigneurs riverains dont ils critiquaient la mainmise péagère. Enfin, les bourgeois cultivaient dans les paroisses alentour assez de vignes pour se protéger des vignobles concurrents. En 1322, ils délimitent le territoire de leurs lieux de production – la vinée –, et ils donnent aux vins de leurs récoltes l'exclusivité des ventes dans la ville et à l'exportation depuis le temps des vendanges jusqu'au 11 novembre. Arme décisive et redoutable...

Les bourgeois de Sarlat, moins nombreux et moins riches dans l'ensemble que ceux de Périgueux et de Bergerac, durent batailler contre l'autorité des abbés afin d'obtenir la reconnaissance de leur statut. Saint Louis les aide à franchir le pas en leur accordant, au milieu du XIIIᵉ siècle, une organisation municipale. Mais ce geste royal n'empêche pas un retour en force des prétentions monastiques sur l'administration de la ville. Finalement, c'est Philippe le Bel, dans son désir de s'approprier le Périgord

Sarlat : la lanterne des morts. Sans doute fut-elle érigée pour commémorer le passage de saint Bernard.

méridional, qui met un terme au conflit en redonnant pleine autorité à la bourgeoisie, en 1299. La fin du siècle se terminait bien pour Sarlat et le suivant démarrait sous les meilleurs auspices puisque, en 1317, le pape avignonnais, Jean XXII, fait de la ville la capitale d'un nouveau diocèse né du découpage méridional de celui de Périgueux. La promotion était enviable. Etait-elle nécessaire ? Jean XXII, originaire de Cahors, y renforçait son prestige et faisait plaisir à sa clientèle. Mais l'argument d'un nécessaire resserrement des cadres religieux pour une meilleure surveillance du troupeau des fidèles par un nouveau pasteur n'est pas à rejeter. A la fin du XVIe siècle, le chanoine Tarde, fin connaisseur de sa patrie sarladaise, met en exergue cette raison au moment où il commence l'histoire du diocèse qu'il sillonne de paroisse en paroisse pour en établir la cartographie.

A la veille de la guerre de Cent Ans, les trois villes du Périgord sont à la fois différentes et proches. Différentes par leurs origines, leur structure, leur plan, leur développement, leurs habitants, leur vocation et leurs fonctions. Proches par leurs paysages, l'étroitesse de leurs rues, la fragilité de la plupart de leurs maisons qui n'ont pas encore connu les transformations architecturales des XVe et XVIe siècles, par leur vulnérabilité aux inondations et aux incendies, et, surtout, par l'émergence, à la fois lente et impatiente, de leurs bourgeoisies désormais aguerries pour d'autres épreuves, autrement plus difficiles.

Le château de la Tour-Blanche, entre Ribéracois et Nontronnais.

LE SIÈCLE DES « CAVALIERS DE L'APOCALYPSE » (P. GOUBERT)

De 1350 à 1450 environ, la gravité et la succession des malheurs qui accablent toute l'Europe, et s'exaspèrent en France à cause de la guerre, ont pu laisser croire aux populations que la fin des temps était proche et, avec elle, l'annonce du jugement dernier portée par les cavaliers de l'Apocalypse. Sur leur passage avait surgi le pire fléau qui soit, celui que n'arrête aucune arme, ni aucune défense malgré le renforcement des gardes aux portes des cités, qui pénètre et tourbillonne dans les mondes clos des villes et des villages pour y prélever son lourd tribut en vies humaines : la « peste noire ». En Périgord, les rares dénombrements fiscaux établis par familles (feux) au sein des paroisses révèlent la disparition du tiers, parfois de la moitié des habitants. D'autres épidémeies succèdent à la grande peste. Désormais, la vie quotidienne est suspendue à cette peur permanente qui se joue du bonheur des hommes et n'épargne aucune génération.

Dix ans avant l'arrivée de « la peste noire », la guerre a repris entre le roi de France et le roi d'Angleterre. Elle va durer plus de cent ans, mais cent années entrecoupées de trêves et de paix qui laissent croire à la fin des combats. Durant cet interminable conflit vécu par quatre ou cinq générations, le Périgord occupe en Aquitaine la situation la plus périlleuse qui soit : celle d'un front entre les armées françaises et anglo-gasconnes. Leurs avancées et leurs reculs suivent les fluctuations du conflit depuis les grandes défaites initiales du roi de France à Crécy et Poitiers, jusqu'aux années de reconquête du règne de Charles V, suivies à leur tour d'un nouvel avantage aux Anglais et de la déroute française d'Azincourt, en 1415. Le retour de l'espoir dans le camp français succède de peu à ce moment de désarroi grâce au relèvement du royaume opéré par les conseillers de Charles VII et la croisade de Jeanne d'Arc et de ses compagnons d'armes.

Au début du conflit, les défaites françaises entraînent le renforcement de l'emprise anglo-gasconne sur le Périgord méridional en dépit de raids téméraires qui surprennent des châteaux pour en faire des îlots de résistance française en terre adverse. Le traité de Brétigny, en 1360, semble simplifier la situation puisqu'il place l'ensemble du Périgord sous la souveraineté anglaise. Alors, d'un château à l'autre, les ralliements des lignages de plus ou moins grand renom se font en faveur d'Edouard III. Le comte de Périgord, Archambaud V, n'a-t-il pas donné l'exemple dès le mois d'octobre 1361 ? L'année suivante, l'Aquitaine est érigée en principauté en faveur du Prince Noir, fils d'Edouard III. Le Périgord, qui en fait partie, semble définitivement anglais. Pourtant, dès 1370, de place en place et de château en château, les ralliements qui s'opèrent en faveur du roi de France, Charles V, préparent un renversement de situation. Une fois encore, Archambaud V montre l'exemple en changeant de camp tandis que le comte d'Armagnac reconquiert le Périgord méridional et que Du Guesclin prend position en Nontronnais pour le plus grand soulagement des habitants. Mais cette trêve de la fin du XIVᵉ siècle est peu ressentie en Périgord à cause des turbulences du comte qui, en quelques années, précipite sa ruine et celle de sa maison. Transformé en chef de bande à la tête de soudards et de mercenaires, il terrorise les habitants de Périgueux qui en appellent à la justice du roi. Archambaud V sollicite alors les Anglais pour briser la résistance des bourgeois. A force d'excès et privé de ses alliés, le comte est condamné par le parlement de Paris qui prononce sa destitu-

Dans l'extrême nord de l'actuel département, Vieillecour, comme nombre de places périgourdines, fut partie prenante de la guerre de Cent Ans.

A gauche, Talbot, qui mourut au cours de la bataille de Castillon le 17 juillet 1453.

A droite, Du Guesclin, qui prit position en Nontronnais.

La chapelle du château de Montréal où est conservée la sainte Épine, relique détenue par Talbot à la bataille de Castillon.

tion et la confiscation de ses biens. Son fils, Archambaud VI, tente l'aventure de la reconquête du comté et se heurte aux renforts militaires du maréchal de Boucicaut venu l'assiéger dans son château de Montignac avec un millier de soldats, car la prise en vaut la peine... Archambaud VI résiste deux mois avant de se rendre. Banni et dépouillé de tous ses biens, en 1399, il trouve refuge en Angleterre, avant de revenir tourbillonner en vain dans son ancien comté. Ainsi finit la lignée du comte Vulgrin... En janvier 1400, Louis d'Orléans est investi du comté par son frère, le roi Charles VI. Le Périgord était devenu un tel enjeu stratégique dans la guerre qu'il n'était pas bon de le tenir éloigné de la maison royale.

C'est en Périgord, en effet, qu'eut lieu à Castillon, le 17 juillet 1453, la dernière bataille de la guerre de Cent Ans. Talbot, le chef de guerre anglais, trop sûr de l'emporter, n'estima pas à sa juste valeur l'artillerie française. Une mort rapide sur le champ de bataille l'empêche d'assister à la défaite anglaise. Apprenant la nouvelle, les habitants du Périgord ont-ils mesuré leur délivrance ? Rien n'est moins sûr au regard des relances du conflit qu'ils avaient connues et des souffrances qu'ils continuaient d'endurer. La fin de la guerre n'était rien sans un immense effort de pacification et de reconstruction. Le plus urgent était de faire cesser la guerre des châteaux, guerre dans la guerre. Elle éclate dès le début du conflit et s'envenime à chaque relance des hostilités et à chaque renversement d'alliance de telle sorte que ni les trêves, ni les paix n'arrêtent ces violences aux allures de règlements de compte entre seigneurs pillards et garnisons mercenaires. Chaque château est une page d'histoire politique, militaire ou simplement criminelle. Aucun n'en est sorti indemne et certains ont disparu corps et biens avec leurs possesseurs dans la tourmente d'un siège, d'un incendie ou d'une punition capitale. Les châteaux les plus exposés, mais aussi les plus sollicités comme repaire de brigands, se situent aux environs de Bergerac, Périgueux et Sarlat, réduites à se protéger davantage des pillages du voisinage que des incursions ennemies. Leur proximité offre aussi l'occasion de belles et bonnes rançons sur les marchands et les bourgeois, ou l'aubaine des fréquents passages de convois de marchandises jamais assez bien gardées pour échapper à la convoitise des routiers, ces capitaines perdus. Quant aux grands châteaux des bords de la Dordogne, situés de part et d'autre de la rivière frontière entre la France et l'Angleterre, ils portent sur leurs pierres les cicatrices des blessures d'artillerie. Moins visibles mais bien plus graves sont les dommages subis par la société châtelaine du Périgord. Sans eux, on ne comprendrait ni les excès, ni les turbulences d'une noblesse qui croit encore, aux siècles suivants, que la possession d'un château est une garantie d'impunité et protège des lois qui s'appliquent aux sujets du roi. Ce front de résistance, insupportable pour la monarchie, est peut-être le premier signe de l'affirmation d'une identité périgourdine. Il n'est pas le seul.

Près de Mussidan, se dresse le château de Montréal.

Le château de Belcayre sur la Vézère a été profondément remanié au cours des siècles.

En pages suivantes : à Sarlat, face à l'hôtel de La Boétie, court une galerie à l'italienne.

*L'hôtel de La Boétie
à Sarlat est symbole
à la fois d'un renou-
veau de la pensée
et d'une ouverture
de l'architecture civi-
le à la lumière.*

Le musée de la batellerie de Bergerac conserve la mémoire des gabarres qui faisaient escale au port.

L'affirmation du Périgord

LE TEMPS DES RENAISSANCES

A la suite de la reconquête des terres méridionales sur les Anglais, c'est un Périgord agrandi par rapport à l'ancien comté qui renaît de la guerre de Cent Ans. Son territoire trouve alors, à quelques variations près, sa configuration définitive. Il n'en est pas de même de la possession du comté, qui change souvent de mains au XVe siècle avant de revenir, en 1481, grâce à son mariage et à un veuvage prématuré, à Alain d'Albret et à son fils Jean, roi de Navarre. Cette transmission crée un lien direct, cent ans plus tard, entre le destin du Périgord et celui d'Henri de Navarre, futur Henri IV. Mais ce Périgord agrandi n'est plus qu'un Périgord dépeuplé. Les campagnes dévastées par les combats et les ravages de la peste sont vides d'habitants. Saint-Astier qui comptait 162 feux (ou foyers) en 1365, n'en a plus que 4 ou 5 en 1445. A la même date, le village de Pontours, en amont de Lalinde, est réduit à un unique feu alors qu'il en abritait 55 en 1365. Les villes ne sont pas mieux loties, à l'exemple de Périgueux qui, riche de 2 445 foyers en 1330 au terme d'une impressionnante croissance démographique, n'en compte plus que 720 au milieu

Biron, détail d'une fenêtre Renaissance.

du XVe siècle, soit moins d'un tiers. La première des renaissances, qui conditionne toutes les autres, est celle du repeuplement. Elle occupe toute la seconde moitié du XVe siècle. Sa réussite revêt tous les aspects d'une nouvelle colonisation fondée sur la sollicitation de seigneurs accueillants et sur la venue de vagues d'immigrants. Attirés par des avantages matériels et fiscaux, ces nouveaux Périgourdins, originaires du Limousin, de l'Auvergne, du Rouergue, du Quercy et du Béarn, bénéficient de conditions favorables de mise en valeur des terres peu à peu soustraites à leurs descendants. Les villes profitent des mêmes vagues avec un renfort d'artisans dont la variété reflète le redémarrage rapide des activités d'échanges. Le résultat est impressionnant, notamment à Périgueux qui, en 1490, compte déjà 2 110 foyers, soit trois fois plus qu'en 1450. Cet essor du peuplement transforme l'économie périgourdine.

Celle-ci a redémarré très vite, surtout dans le Sud, le long de la Dordogne. Le trafic de la vallée connaît une embellie après des décennies de perturbations liées à la guerre. Désormais, la route fluviale est ouverte de Souillac jusqu'à l'Océan, avec des escales obligées à Bergerac et Libourne. Le plus souvent, les bateliers descendent tout ou partie de

Le beau château Renaissance de Monbazillac domine un océan de vignes s'étendant sur la rive gauche de la Dordogne jusqu'à Bergerac.

leurs cargaisons jusqu'à Bordeaux, après avoir surmonté les périls du Bec-d'Ambès. Certes, les Anglais, clients attitrés des vins du Bergeracois, bouderont quelques années les ports aquitains, par obligation diplomatique plus que par convenance. Mais, déjà, les Flamands ont su prendre le relais. Le signe assuré de ce nouvel essor se lit en 1495 dans l'extension de la « vinée » des bourgeois de Bergerac. Désormais, leur territoire viticole gagne les paroisses de la rive gauche et monte à l'assaut du coteau ensoleillé de Monbazillac. Au même moment naissent des industries promises à un beau développement lorsque les conditions naturelles s'y prêtent. Les unes sont consommatrices d'eau et d'énergie comme les jeunes papeteries qui s'implantent peu à peu sur le bord des eaux limpides de la Couze ou les moulins à foulon, à huile et à blé qui colonisent les ruisseaux. Les autres sont dévoreuses de forêts comme les forges du pays doublaud ou celles de la Manaurie, affluent de la Vézère. Les rois de France qui savent désormais le prix et la valeur de l'artillerie encouragent cette transformation des richesses du sol et du sous-sol qui préserve de la dérogeance les gentilhommes verriers et les maîtres de forges.

Car la monarchie est partie prenante dans la remise en ordre d'une administration qui pèsera lourd dans le destin politique du Périgord. Ce faisant, elle l'assimile au sort commun des provinces anciennement sous son autorité et déjà soumises au découpage fiscal en élections, placées sous l'autorité des élus, officiers responsables de la répartition et de la collecte des impôts, principalement de la taille, cet impôt roturier légué par la guerre de Cent Ans. L'élection de Périgueux est établie à la fin du XVe siècle, celle de Sarlat naît un peu plus tard et connaît des difficultés qui repoussent dans le temps sa véritable création. Avec la fin de la guerre, les Périgourdins apprennent douloureusement la fiscalité royale et découvrent en même temps ses inégalités : d'un côté, les privilégiés qui ne paient pas la taille soit parce qu'ils appartiennent à la noblesse ou au clergé, soit parce qu'ils habitent des villes franches comme Périgueux et Bergerac ; de l'autre, l'immense camp des foyers roturiers des paroisses rurales, des bourgs et des petites villes. Ainsi s'agrandit le fossé entre les habitants des villes et ceux des campagnes, comme si les murailles qui les séparent ne suffisaient pas !

En 1542, François Ier opère une centralisation administrative en rattachant les élections de Périgueux et Sarlat à la généralité de Bordeaux nouvellement créée. Ainsi s'accroît la dépendance des Périgourdins à l'égard de la capitale de la

Une petite ville du Périgord noir : Saint-Geniès. A l'image de l'église, les toits des maisons sont couverts de lauzes.

C'est le père de Michel de Montaigne, Pierre Eyquem, qui agrandit et embellit son château dont il reste encore une partie de l'enceinte et surtout la tour de la Librairie aménagée par Montaigne.

Guyenne, leur principal lieu de vente en années d'abondance et de ravitaillement en temps de pénurie. Pour l'instant, ce sont les nouveaux impôts qui sont insupportables aux Périgourdins, notamment la gabelle, cet impôt sur le sel que François Ier étend à l'Aquitaine en 1544. L'année suivante, la révolte des habitants de Périgueux contre les « gabelous » est sanglante et la répression terrible. Est-ce la résignation de ses compatriotes accablés par la sévérité de la punition qui a dicté au tout jeune La Boétie les pages les plus ardentes de son *Discours de la servitude volontaire* ? La réponse est sans doute affirmative. Le retour à l'obéissance de ses habitants vaut à Périgueux de figurer, en 1552, parmi les neuf villes de Guyenne où sont créées de nouvelles cours de justice : les présidiaux. Enfin, privilège insigne, elle est choisie, en 1554, pour accueillir une cour des aides, juridiction souveraine en matière de fiscalité indirecte. Au bout de trois ans, en butte à la rivalité de la cour de Montpellier, elle est transférée à Bordeaux. Ces trois années ont permis à Montaigne de faire à Périgueux ses premières armes de magistrat.

Car cette sujétion vis-à-vis des institutions monarchiques a ses avantages que l'élite très restreinte des Périgourdins fortunés et instruits a découverts depuis la fin du XVᵉ siècle. Elle leur ouvre alors une voie royale vers la plus prestigieuse des institutions bordelaises, créée au lendemain de la guerre de Cent Ans : le parlement de Bordeaux. Certes, il ne compte alors qu'une vingtaine de conseillers, mais les Périgourdins y figurent en bonne place et, déjà, se constituent des dynasties, tels les Belcier et les Calvimont, dont les alliances bien calculées préparent la venue d'une génération plus nombreuse, celle de Montaigne et de La Boétie. A la même époque, Charles VIII et son successeur Louis XII exercent une toute autre sollicitation, plus empressée et plus intéressée, sur les nobles périgourdins et leur clientèle d'hommes d'armes pour en faire des combattants des guerres d'Italie. Les premiers partis auront la chance des conquêtes, les autres, la malchance des revers qui succèdent à la victoire de Marignan. Mais, pour les uns et les autres, l'évasion italienne est une promesse de gloire et de butins. Le père de Brantôme les a recueillis en combattant aux côtés de Bayard et celui de Montaigne a doré le blason de la noblesse récente des Eyquem, acquéreurs en 1477 de la seigneurie de Montaigne. A son retour d'Italie, Pierre Eyquem se consacre pleinement à la restauration de son château après un riche mariage avec Antoinette de Louppes. C'est la belle époque en Périgord des gentilshommes bons « ménagers » de leurs biens et amoureux de leur château.

Entre Brantôme et Thiviers, le château de Bruzac témoigne de l'abandon très progressif des systèmes défensifs.

Le château de Richemont, création de Pierre de Bourdeille alias Brantôme.

L'ÂGE D'OR DES CHÂTEAUX PÉRIGOURDINS

A quoi bon vouloir les compter ! Ils sont de tailles trop diverses et ont des fonctions trop variées pour que leur addition ait une réelle signification. Il y a les forteresses médiévales qui ont survécu à la guerre et vont accueillir en leur sein des constructions nouvelles, telle la belle chapelle gothique des seigneurs de Biron, lieu de culte et sépulture des maîtres du lieu, avec une église basse réservée aux tenanciers de la seigneurie. Il y a les châteaux reconstruits à l'emplacement des anciens ou à proximité parce que la vie de château peut s'épanouir dans une demeure du XVIᵉ siècle aux dimensions et au décor harmonieux. Telle est la volonté de Jacquette de Bourdeille, veuve du sénéchal du Périgord et riche belle-sœur de Brantôme, lorsqu'elle fait construire un château Renaissance à côté de l'ancien, délaissé pour cause d'inconfort et de ruine menaçante

La chapelle gothique de Biron.

après les assauts de la guerre de Cent Ans. Un jardin potager et un verger sont le complément indispensable qui répond au goût pour les fruits et légumes nouveaux apportés d'Italie. Il y a enfin une floraison de châteaux nouveaux construits pour l'agrément, même si le souci défensif n'est jamais absent en ces temps d'insécurité. Tous symbolisent la réussite de leur bâtisseur ou celle de son lignage. Emergeant des vignes, Monbazillac allie merveilleusement l'art de la Renaissance et celui d'un art militaire médiéval qui s'attarde en Périgord jusqu'au début du XVIIᵉ siècle ; en même temps, il proclame la gloire des Aydie,

En page de gauche : le château des Bories était une forteresse de plaine embellie à la Renaissance.

49

Le château de l'Herm, édifié par Jean de Calvimont, devait devenir célèbre sous la plume d'E. Le Roy qui, dans son roman Jacquou le Croquant, en fit la demeure du marquis de Nansac. A la fin du roman, Jacquou, à la tête de la révolte des paysans, l'incendia.

Puyguilhem, « un château de la Loire » perdu au nord du Périgord.

ses constructeurs. Au nord de Brantôme, sur la colline la plus élevée entre Périgord et Angoumois, le conteur mémorialiste Brantôme fait édifier dans sa longue retraite le château de Richemont qui consacre sa fortune, en dépit des infortunes cumulées de son existence de cadet des Bourdeille. Jean de Calvimont, devenu premier président au parlement de Bordeaux, fait achever à la fin de sa belle carrière le château de l'Herm que son père avait commencé de construire, au cœur de la forêt Barade, dans une seigneurie récemment acquise. Autant d'exemples que l'on peut multiplier et autant de destins personnels qui font l'histoire de chaque château, de chaque manoir, de chaque maison forte ou repaire qui croissent et embellissent dans une province devenue, en moins d'un siècle, un foyer artistique de premier plan.

Ci-contre : le château Renaissance de Bourdeilles fut construit par Jacquette de Bourdeille, dans l'enceinte de l'ancien château qui menaçait ruine.

Ci-dessous : une des luxueuses pièces du château de Bourdeilles. Les poutres du plafond ont conservé un décor peint d'une extraordinaire richesse.

Innombrables sont en Périgord les châtelains qui ont
su profiter des périodes de
prospérité pour construire,
embellir et mettre au goût
du jour leur château,
comme ci-dessus aux
Milandes, ci-contre à La
Roque près de Meyrals et
ci-dessous à Neuvic-sur-
l'Isle.

Le château de Mellet à
Neuvic-sur-l'Isle.

Les villes aussi participent à cet âge d'or comme le prouve la restauration contemporaine, parfaitement réussie, du cœur des villes de Sarlat, Périgueux et Bergerac. Leur décor est moins ostentatoire mais tout aussi recherché que celui des châteaux. Ainsi, les hôtels particuliers de la noblesse et de la haute bourgeoisie révèlent dans leur architecture intérieure, notamment leurs escaliers, l'orgueil et l'ambition retenus de leurs propriétaires. A Périgueux, les beaux hôtels de pierre de la rue de l'Aubergerie supplantent les grandes maisons de pierre médiévales de la rue des Farges dont l'une aurait servi de logis à Du Guesclin. A Sarlat, les transformations progressives de l'hôtel Selve de Plamon reflètent, jusqu'à la tour finale, l'ascension de marchands drapiers du XIVᵉ siècle devenus nobles deux siècles plus tard grâce à l'effet conjugué de leurs fonctions consulaires et de leurs prêts d'argent à la ville. Plus modeste, mais tellement parfait dans ses proportions architecturales, l'hôtel des La Boétie qui s'édifie au début du XVIe siècle, face au grand chantier de la cathédrale encore en construction, affirme la réussite d'une famille dont les profits terriens se sont investis dans la pierre et les offices urbains. Ces choix ont moins tenté la bourgeoisie bergeracoise non seulement parce que la ville n'est dotée ni des fonctions religieuses, ni des fonctions administratives de Périgueux ou de Sarlat, mais aussi parce qu'elle a la chance de grandir au bord de la principale artère commerciale du Périgord, la Dordogne, dont elle tire amplement profit. Moins présente dans son architecture urbaine ou seulement intégrée dans des constructions du Moyen Age, la Renaissance s'attarde superbement dans la maison Peyrarède qui doit son nom à son constructeur, contemporain des premières années du XVIIe siècle.

Tant à la ville qu'à la campagne, ce goût de construire, reconstruire, restaurer et décorer, fait du Périgord un foyer artistique de premier plan entre 1480 et 1610. Pourquoi un tel engouement pour des œuvres de pierre et quels trésors ont bien pu alimenter en artistes, en artisans et en matériaux tant de chantiers dont la plupart donneront naissance à des chefs-d'œuvre ? Il n'y a pas une, mais plusieurs réponses à ces questions. Et toutes doivent mettre au premier plan la durée car, sauf longévité exceptionnelle de leur premier bâtisseur, la construction des châteaux ou des hôtels urbains mobilise trois ou quatre générations jusqu'à leur achèvement. Leur coût, échelonné sur un siècle, voire plus, se chiffre annuellement à des sommes supportables puisque la main-d'œuvre des tenanciers est gratuite et que les matériaux principaux – pierres, bois et fer – se trouvent à proximité, le plus souvent disponibles dans la seigneurie.

Bergerac. La maison Peyrarède s'orne d'une échauguette qui s'élève sur plusieurs étages.

Ci-contre : à Sarlat, l'architecture urbaine de la Renaissance a donné de beaux hôtels particuliers tels ceux de Plamon, Chassaing ou encore La Boétie, dont les portes s'ouvrent souvent sur de magnifiques escaliers, comme à Périgueux.

Hautefort, œuvre de Nicolas Rambourg qui le reconstruisit à la fin du XVIe siècle, est alors un château neuf et luxueux. En témoignent l'escalier intérieur dit des ambassadeurs et, ci-contre, cette belle galerie du rez-de-chaussée.

Restent les salaires des maîtres artisans et des artistes qui, de châteaux en hôtels, ont laissé la marque de leur talent dans des décors qui se répètent. Mais ceux qui exercent en Périgord n'ont ni le prestige, ni la notoriété de leurs collègues des châteaux de la Loire. La plupart restent inconnus, à l'exception des derniers venus dans l'immense vague des constructions périgourdines : Peyrarède, à Bergerac et, surtout, Nicolas Rambourg qui travaille à la fin du XVIe siècle aux châteaux d'Excideuil et de Sauvebœuf, et devient le maître d'œuvre de la reconstruction complète du château de Hautefort. Faut-il en conclure que la construction des châteaux périgourdins de l'âge d'or a été légère aux générations qui l'ont menée à bien ? La vérité est sans doute plus nuancée, mais ce coût relativement modéré permet de comprendre comment le goût de bâtir s'est nourri de l'émulation et de l'imitation entre châtelains voisins pris de la « véhémente passion de mettre des pierres les unes sur les autres », comme le constate amèrement le mémorialiste calviniste François de La Noue dans ses *Discours politiques et militaires*. Les gentilshommes qu'il fustige ainsi auraient pu lui répondre que la tourmente des guerres de Religion rendait soudainement raisonnables les excès défensifs de leurs « somptueux édifices ».

UN TERRITOIRE PROTESTANT AU BORD DE LA DORDOGNE

Entre la condamnation par la Sorbonne de la doctrine de Luther, en 1521, et le début officiel des guerres de Religion, consécutif au massacre de Wassy, en mars 1562, s'écoulent quarante années durant lesquelles la réforme protestante s'implante dans le royaume. En 1536, Calvin fait éditer en latin la première édition de l'*Institution chrétienne*, puis, en 1541, sa traduction française. Dès cette date, le calvinisme se diffuse largement et pénètre en Périgord. C'est cette année-là, en décembre, qu'est arrêté à Sainte-Foy le prédicateur Aymon de La Voye, disciple de Calvin. Condamné comme hérétique par le parlement de Bordeaux, il meurt sur le bûcher en août 1542. Son martyre marque le début des violences iconoclastes des premiers réformés périgourdins : en juillet 1544, à Bergerac, ils décapitent la statue de Notre-Dame du milieu du pont, protectrice des bateliers, et jettent sa tête dans la rivière. Dans la nuit du 24 janvier 1551, ils renversent les croix qui jalonnent la route de Périgueux à Marsac et

Le château de Sauveboeuf, auquel travailla N. Rambourg, a été très restauré.

Le château de Cours-de-Piles, possession d'Armand de Clermont, protéga long-temps les foyers protes-tants de la moyenne Dor-dogne.

Ci-contre : la Dordogne à Bergerac. Les protestants y jetèrent la tête de la statue de la Vierge qui se trouvait sur le pont.

s'acharnent quelques jours plus tard sur les reliques de saint Front après avoir pillé le trésor de la cathédrale. Ces violences, annonciatrices des tempêtes iconoclastes des années 1560, sont plus tardives en Périgord qu'en Angoumois ou en Poitou. Il en est de même de la constitution des premières églises clandestines qui naissent en Périgord après celles de l'Agenais et du Bordelais. Ce déca-lage chronologique éclaire sur la pénétration du mouvement réformé et sur son enracinement en moyenne Dordogne, entre Bergerac et Sainte-Foy, futures citadelles de la religion et du parti protestants.

Ce foyer primordial, qui résiste à toutes les persécutions, se situe à la rencontre de trois courants de circu-lation des hommes, des idées et des écrits : ceux de l'Agenais, du Borde-lais et de l'Angoumois. A cette convergence géographique s'en ajoute une autre, économique et sociale, qui rassemble parmi les pre-miers fidèles de la Réforme les bourgeoisies de Sainte-Foy et de Bergerac et la noblesse du Périgord méridional, notamment la maison des Caumont-La Force. Alliance déterminante pour la survie des premières églises, pour l'adhésion des artisans et des paysans et la formation d'un parti protestant constitué par les clientèles locales de la noblesse. Entre 1560 et 1565, cette force religieuse et militaire est en place, au grand dam du parlement de Bordeaux et de Blaise de Monluc, investi par Catherine de Médicis du maintien de l'ordre en Guyenne. Mais ni la justice du roi, ni les soldats de Monluc ne viennent à bout des foyers réformés de la moyenne Dordogne. Leur survie est même devenue une nécessité pour le parti protestant dès les premières guerres de Religion puisqu'ils servent de trait d'union et de voie de passage entre La Rochelle et Montauban. Sans ce front défensif, à l'écart d'une Garonne trop catholique pour être fréquentée et à proxi-mité du refuge des forêts périgourdines de la Double et du Landais, Henri de Navarre n'aurait pu tenir tête aux armées royales venues le débusquer dans son gouvernement de Guyenne. Il est vrai que le futur Henri IV avait eu le temps de bien connaître les chemins de guerre et de chasse de cette région en tant qu'héritier des possessions des Bourbons-Albret dans leur comté de Périgord...

Mais le choix d'Henri de Navarre comme gouverneur de Guyenne ne date que de 1576. En attendant, le Périgord a lourdement payé le tribut des premières guerres civiles. En octobre 1562, à la bataille de Vergt, Monluc sort vainqueur de la course poursuite de son armée contre celle des protestants commandés par Duras. Sa victoire, qu'il retrace avec prédilection dans ses *Commentaires*, est de courte durée face aux assauts d'Armand de Clermont, seigneur de Piles, dont le château, en amont de Bergerac, est le gardien avancé des foyers protestants de la moyenne Dordogne. En septembre 1568, c'est lui qui va à la rencontre de Jeanne d'Albret, la reine de Navarre, en route pour le refuge de La Rochelle où l'attendent les chefs du parti protestant, le prince de Condé et l'amiral de Coligny. A cette date, la ville de Bergerac se prépare à jouer son rôle de capitale du calvinisme en Guyenne. Jeanne d'Albret y séjourne du 12 au 16 septembre à l'abri des murs et sous bonne escorte. Dans une lettre adressée au roi Charles IX et à Catherine de Médicis, elle annonce sa décision de tout sacrifier à sa religion et de rallier, avec ses enfants Henri et Catherine, les combattants du parti protestant. Moment capital pour l'histoire de France et celle du Périgord.

Le retour de la paix et le mariage de réconciliation célébré entre Henri de Navarre et Marguerite de Valois, sœur de Charles IX, précipitent la revanche catholique. Elle a lieu le 24 août 1572 lors du massacre de la Saint-Barthélemy qui épargne Henri de Navarre et son cousin Condé, mais sacrifie leurs compagnons d'armes. Parmi eux se trouve Clermont de Piles qui, deux jours auparavant, d'après Brantôme, s'était plié au désir de Charles IX qui lui demandait de le faire nager en lui tenant le menton... Les conséquences de la Saint-Barthélemy agrandissent la déchirure religieuse entre Bergerac, Sarlat et Périgueux. Autant la première est engagée dans le camp réformé, autant les deux autres, majoritairement catholiques et sous la tutelle du clergé qui entoure leurs

Lamonzie-Montastruc, comme beaucoup de maisons fortes du Bergeracois, fut mêlée aux troubles religieux.

Le château de Gageac possession de Geoffroy de Vivant se situe rive gauche de la Dordogne, sur les hauteurs, au milieu des vignobles du Bergeracois.

évêques, deviennent des proies tentantes pour les offensives protestantes. En 1574, Geoffroy de Vivant, successeur de Clermont de Piles dans le Périgord méridional, s'empare de Sarlat lors du complot du Carnaval, destiné à surprendre les catholiques dans leurs « baccanales, festins et masquarades ». Ce massacre prépare d'autres revanches. En août 1575, Vivant renouvelle sa ruse aux dépens de Périgueux et livre la ville aux protestants. C'est pourquoi l'édit de pacification signé en 1576 fait d'elle, contre son gré, une place de sûreté protestante. Mais les forces du parti protestant l'occupent sans la conquérir. En la visitant cette année-là, Henri de Navarre, récemment reconverti au protestantisme, a pu mesurer l'hostilité de la population à son égard et lire sur un arc de triomphe dressé par obligation une inscription lourde de ressentiment : « Urbis deforme cadaver » (le cadavre informe de la ville). Reconquise en 1581 lors d'un assaut surprise des catholiques amenés par Chilhaud des Fieux, Périgueux est l'une des dernières villes à se soumettre au nouveau roi Henri IV après la défaite de la Ligue. Pendant ce temps, Henri de Navarre avait choisi Bergerac et le Périgord méridional comme l'une des premières marches de son accession au trône de France.

LE PÉRIGORD MÉRIDIONAL, UNE MARCHE DU TRÔNE D'HENRI IV

Quand, en 1576, Henri de Navarre reprend possession du gouvernement de Guyenne, il cumule deux fonctions incompatibles : celle de représentant du roi dans son gouvernement et celle de chef du parti protestant. Cette situation dure dix années durant lesquelles il établit ses quartiers, au gré de la situation militaire, tantôt en Béarn, tantôt à Nérac, tantôt en Bergeracois. Pour quelque temps, les foyers protestants du Périgord méridional sont devenus un lieu où s'écrit l'histoire de France : en 1577, la paix est signée à Bergerac ; en 1578, un synode national se tient au Fleix ; en 1580, une longue conférence, tenue au Fleix puis à Coutras, scelle un nouvel accord entre Henri de Navarre et le roi, Henri III, son beau-frère. En 1581, Montaigne est élu maire de Bordeaux et devient, les années suivantes, un ambassadeur officieux entre le roi de France et Henri de Navarre. A la Noël 1584, il reçoit même chez lui, dans son château, Henri de Navarre et toute son escorte de proches et de fidèles.

Brantôme. Fontaine édifiée par la ville pour perpétuer le souvenir du célèbre mémorialiste de la Renaissance, grand témoin des guerres de Religion.

Quels conseils l'auteur des *Essais* a-t-il pu prodiguer au roi de Navarre qui croit de plus en plus à ses chances de devenir roi de France depuis la disparition récente du duc d'Anjou ? Des conseils de prudence et de patience afin de ne pas heurter de front le roi Henri III ? Si tel est le cas, ils ont été retenus puisque, trois ans plus tard, à la bataille de Coutras, le 20 octobre 1587, Henri de Navarre n'a pas exploité son écrasante victoire contre l'armée royale. Avant de gagner le Béarn où l'attend Corisande, il fait halte chez Montaigne, le 24 octobre. Ce sera leur dernière rencontre. Fort de son succès et sachant l'hostilité des Bordelais à son égard, Henri de Navarre accorde à Bergerac, pour quelques mois, tous les attributs d'une capitale. Le Périgord méridional devient une pièce maîtresse sur l'échiquier politique du futur Henri IV au moment où il se réconcilie avec Henri III, chassé de Paris par les ligueurs. Appelé sous d'autres cieux et pour d'autres combats, Henri IV ne se rendra jamais plus en Guyenne. Il revient alors à quelques-uns de ses capitaines périgourdins de chanter les louanges du premier roi Bourbon. Au premier rang se détache Charles de Gontaut, seigneur de Biron, dont la bravoure et la fidélité ont été récompensées par une carrière militaire fulgurante et son entrée, en 1598, dans le groupe restreint et prestigieux des ducs et pairs. En même temps, la baronnie familiale est érigée en duché-pairie. Grâce à la faveur royale, les Gontaut supplantent alors tous les grands lignages périgourdins. Mais, à l'heure du bilan, plus forte que ces actions d'éclat d'une guerre fratricide, s'exprime la détresse des Périgourdins à l'issue de cinquante années de violences. Brantôme, La Boétie et Montaigne en sont les grands témoins.

Statue de La Boétie à Sarlat ; il tient dans sa main le manuscrit du Discours de la servitude volontaire.

LE PÉRIGORD OU LA PATRIE DE BRANTÔME, MONTAIGNE ET LA BOÉTIE

Tous trois font partie d'une génération sacrifiée : celle qui a entre vingt et trente ans au moment où débutent les guerres de Religion. Tous trois sont des fervents de la culture humaniste apprise au collège au sortir d'une enfance protégée dans des milieux aisés. La Boétie est né en 1530 à Sarlat dans le bel hôtel dont la construction, toute récente, illustre l'ascension sociale de ses parents de la bourgeoisie à la noblesse d'offices. L'élève surdoué découvre avec bonheur dans sa petite enfance l'entourage humaniste et artiste de la cour italienne venue préparer dans la cité la venue éphémère de son évêque, Nicolas Gaddi, un prince d'Eglise florentin lié aux Médicis. A dix ou douze ans, La Boétie, devenu orphelin, quitte Sarlat pour de longues études à Paris, puis à Orléans. En 1553, dans le sillage de sa famille maternelle, les Calvimont, il entre au parlement de Bordeaux où, quatre ans plus tard, il rencontre Montaigne. Amitié éphémère de cinq ou six années empreintes de violences politiques et religieuses, mais amitié éternelle qui suscite l'engagement en écriture du futur auteur des *Essais* au moment où, en 1571, il abandonne sa charge de conseiller au parlement et s'installe au château où il est né et dont il est le maître depuis la mort de son père, en 1568. D'autres tâches l'attendent, notamment celle de maire de Bordeaux en 1581 et de conseiller très officieux du futur Henri IV ; mais sa mission essentielle est dans la fidélité à La Boétie, l'ami disparu sans avoir pu achever une œuvre dont les prémices étaient fulgurantes à en juger par la teneur, l'écriture et la renommée du *Discours de la servitude volontaire*, rebaptisé

Dans la tour de la Librairie de Montaigne, la chambre de l'écrivain se situe au-dessus de la chapelle.

La Librairie proprement dite. C'est ici que Montaigne travaillait ; il avait fait inscrire sur les poutres du plafond les sentences et citations des classiques grecs et latins qu'il préférait. Sa table de travail a été conservée. Au mur, derrière son fauteuil, deux médaillons, côte à côte, représentent les profils de La Boétie et de Montaigne.

Les inscriptions de la Librairie du château de Montaigne.

Contr'un par les protestants pour mieux condamner la tyrannie de Charles IX après la Saint-Barthélemy. Quant à Brantôme, né vers 1540, il appartient au lignage prestigieux des Bourdeille dont la fortune a bénéficié, après la guerre de Cent Ans, de la faveur des Valois. Son rang de cadet l'oblige à chercher ailleurs gloire et fortune. Faute d'y parvenir à force de mésaventures, il gagne dans sa très longue retraite périgourdine ses galons de mémorialiste de la vie de cour et des champs de bataille. Ses *Vies des dames illustres et galantes* et ses *Vies des grands capitaines* sont un étonnant miroir, étincelant et déformé, d'un monde déjà disparu, celui de la cour des Valois.

La Boétie, Montaigne et Brantôme ont eu leur existence bouleversée par les guerres de Religion. La Boétie y a trouvé la mort au sortir de deux expéditions de pacification, l'une en Agenais, l'autre en Périgord. Au retour de la dernière, en juillet 1563, il contracte le mal, peste ou dysenterie, dont il meurt quelques jours plus tard, veillé dans son agonie par Marguerite, son épouse, et par Montaigne. Brantôme y a rencontré la disgrâce pour avoir préféré servir Catherine de Médicis plutôt que son fils, Henri III. Montaigne a enduré la souffrance de charges et de responsabilités accablantes au moment où l'écriture le sollicite de toutes parts. Enfin, tous trois ont souffert pour le Périgord, leur patrie. La Boétie, lorsqu'il échoue dans sa dernière mission de réconciliation. Brantôme, lorsqu'il déplore l'affreux massacre des paysans, tués sur ordre de Coligny au château de La Chapelle-Faucher. Montaigne, lorsqu'il rencontre près de chez lui un paysan à moitié étranglé par les gens de guerre ou le tailleur de Sainte-Foy massacré à coups de ciseaux. Tous trois sont les grands témoins d'une tourmente qui leur a enseigné, à force de

La région de Brantôme n'a pas non plus été épargnée par les guerres de Religion. A gauche, on aperçoit le pavillon Renaissance.

souffrances, l'amour du prochain et la tolérance. Montaigne vient de mourir, mais Brantôme est en pleine rédaction de son œuvre lorsque débute, en 1594, la révolte des croquants. Il n'est pas sûr qu'il y ait prêté attention puisque, tout à ses écrits, il ne vit plus alors que dans le passé.

Le château de La Chapel-le-Faucher, théâtre d'un massacre de paysans exécutés sur ordre de Coligny.

LES RÉVOLTES DES CROQUANTS OU LA GUERRE AUX « ENNEMIS DU REPOS PUBLIC »

Cette révolte annonce les colères et tempêtes qui font du Périgord une terre de résistances face à l'ordre monarchique des trois premiers rois Bourbons – Henri IV, Louis XIII, Louis XIV – et de leurs principaux ministres : Richelieu, Mazarin et Colbert. Les guerres de la Ligue ne sont pas terminées au moment de la première révolte des croquants, en 1593, dans le vicomté de Turenne. Au printemps 1594, elle atteint le Périgord par la vallée de la Dordogne, puis se diffuse de part et d'autre de la grande rivière avant de se propager vers l'Agenais et l'Angoumois. D'assemblées en assemblées tenues dans les clairières des forêts, les représentants des communes révoltées rédigent leurs doléances à l'intention du roi et des députés des Etats du Périgord. Ils y désignent ceux qui sont leurs adversaires : les bourgeois des villes propriétaires de grandes métairies dont la rente augmente sans cesse, les seigneurs brigands qui dévastent leurs champs et les officiers du roi qui les accablent d'impôts. Tous sont accusés de vivre aux dépens du « pauvre peuple, parce que nostre ruine est leur richesse ». Tout est dit et parfaitement formulé dans leurs appels « aux gens de bien » qui doivent les rejoindre grâce à la protection de Dieu. Mobilisée sur d'autres terrains, la noblesse périgourdine met quelques mois pour réagir. A l'été 1595, l'armée des croquants est vaincue à Saint-Crépin-d'Auberoche et à Condat-sur-Vézère par les troupes du sénéchal de Bourdeille.

La place de Monpazier, qui vit l'exécution de Buffarot, l'un des meneurs des Croquants, le 6 août 1637.

Au printemps 1637, lors de la seconde révolte des croquants, ceux-ci n'ont pas oublié le message de leurs grands-parents, les « Tard-advisés » de 1594. Leur soulèvement est une véritable guerre paysanne née du refus d'impôts nouveaux consécutifs à l'entrée officielle de la France dans la guerre de Trente Ans. Leurs forces se concentrent dans la forêt de Vergt et prennent Périgueux pour cible afin d'y trouver des canons et d'en ramener, morts ou vifs, les « gabeleurs » détestés. La résistance de la ville oblige La Mothe La Forêt, général des « communes soulevées du Périgord », à changer de destination : le 11 mai, Bergerac est investie et prise par une armée forte de 8 000 hommes environ. Pendant trois semaines, les croquants sont maîtres de la ville où ils font régner une discipline militaire pour mieux se préparer à d'autres combats. En mai, ils sont repoussés sur la route de Sainte-Foy. En juin, ils tentent de gagner l'Agenais mais sont vaincus à La Sauvetat par l'armée du gouverneur de Guyenne. La guerre était finie, mais la guérilla commence, avec à sa tête Pierre Grellety. Les deux chefs des croquants n'étaient pas des inconnus l'un pour l'autre : le gentilhomme La Mothe La Forêt, stratège de l'armée paysanne, était le beau-frère de Charles d'Abzac, marquis de La Douze, et les Grellety étaient laboureurs de père en fils sur les terres du marquis. Désormais, Grellety est seul à la tête d'une centaine d'hommes qui tiennent la forêt de Vergt et en font un réduit inexpugnable pendant plus de quatre années. Seule la négociation permet d'en venir à bout : Grellety et ses hommes obtiennent, en échange de leur reddition, de devenir soldats du roi et d'aller combattre pour lui en Espagne.

La grande révolte se terminait non sans mal, ni sans victimes, surtout parmi les femmes et les enfants de l'escorte de la grande armée champêtre dont le général portait sur son uniforme des brins de paille pour toute décoration. Elle eut aussi ses héros punis pour l'exemple, tel Buffarot, le tisserand de Capdrot, rompu vif sur un échafaud dressé sur la place de Monpazier, le 6 août 1637. La dernière révolte paysanne, celle des Tards Avisés de 1707 qui renouvellent la résistance des croquants de 1594, ne connaît ni l'ampleur, ni l'extension des précédentes. Rapidement réprimée, elle permet au gouverneur de Guyenne d'opé-rer un désarmement massif des pay-sans, tenus de rendre leurs armes à leurs seigneurs. Même si tous n'ont pas scrupuleusement obéi aux ordres, la moisson d'armes récoltées – trente mille fusils, sans compter les épées, les pistolets et quelques arquebuses du temps des guerres de Religion – est à elle seule une soumission. Il restait à recueillir dans les veillées la mémoire de ces soulèvements, nés de la misère et du regret d'un âge d'or dont on espère toujours le retour pour le bon-heur des enfants. De veillées en veillées, les scènes se précisent et les héros se dessinent, quitte à changer d'époque pour mieux souligner l'im-muabilité d'une condition : ainsi, Jac-quou le Croquant, le héros du roman d'Eugène Le Roy, est le petit frère des croquants du XVIIᵉ siècle.

La chapelle de Biron, han-tée, dit-on, par le fantôme de Charles de Gontaut-Biron qui y viendrait toutes les nuits du 31 juillet, date anniversaire de son exécu-tion en 1602.

LA RECONQUÊTE DES SUJETS ET DES ÂMES EN PÉRIGORD

Les croquants ne sont pas seuls à s'opposer et à résister dans le Périgord du XVIIᵉ siècle. Les nobles paient chè-rement eux aussi leurs turbulences et leurs violences héritées de siècles de guerres. L'exemple est donné, et quel exemple, par le châtiment infligé à Charles de Gontaut-Biron, deux fois coupable de trahison envers Henri IV. Une première fois, le roi a pardonné à son compagnon d'armes après son aveu d'in-telligence avec l'ennemi espagnol ; la seconde fois, Biron n'a rien avoué malgré les preuves qui l'accablent et qui reposent encore dans les archives de Simancas. Henri IV laisse la justice suivre son cours jusqu'à l'exécution dans la cour de la Bastille, le 31 juillet 1602. L'émotion est grande en Périgord où chansons et complaintes vantent le courage du supplicié et blâment l'ingratitude de son bourreau, le roi Henri. La légende se forge très vite ; elle unit, à jamais, Biron au château de ses ancêtres puisque toutes les nuits du 31 juillet, anniversaire de sa mort, son fantôme hante les lieux de son enfance et erre dans la chapelle, sa tête sous le bras. L'exemple de Biron stimule l'ardeur de conjurés périgourdins qui participent à la conspiration du duc de Bouillon en 1605. Dénoncés, ils subissent le même châtiment.

En 1610, l'assassinat du roi, en présence du duc de La Force assis à ses côtés dans le carrosse, mobilise le parti protestant. En 1621, Bergerac participe au soulèvement que Louis XIII en personne vient réprimer. Cette fois, la ville a droit au pardon royal ; mais ce n'est que partie remise avec la perspective de perdre ses fortifications condamnées au démantèlement à la suite d'une tournée d'inspection royale. L'année suivante, Montauban, vaillamment défendue par le duc de La Force, refuse de se rendre au roi. Le duc paie le prix de cette belle résistance : condamné, assiégé sur ses terres bergeracoises et réfugié dans Sainte-Foy, il obtient finalement le pardon du roi qui entend, par ce geste de clémence, ramener à l'Eglise catholique et romaine cette grande maison de la noblesse périgourdine. En même temps, le démantèlement de Bergerac fait d'elle une ville ouverte : c'est pourquoi, en 1629, la grande armée des croquants y est entrée sans résistance. Richelieu peut être satisfait : en Périgord, comme ailleurs, les foyers de résistance nobiliaire et protestante sont sur le point de s'éteindre.

La place centrale d'Eymet. A la fin août 1685, la ville revient de force à la religion catholique.

La minorité de Louis XIV et le ministériat de Mazarin sont l'occasion de raviver les prétentions nobiliaires. D'emblée, la noblesse du Périgord se range majoritairement du côté du prince de Condé grâce au réseau de la clientèle de la maison de Bouillon. En mai 1649, la princesse de Condé en personne traverse le Périgord, escortée de grands personnages qui rallient à eux les châtelains encore indécis. Une nouvelle fois, la vallée de la Dordogne sert de lieu d'affrontement avec des troupes royales vite débordées. En quelques jours, l'armée des frondeurs achève son parcours triomphal et atteint Bordeaux le 31 mai. Tout est en place pour accueillir Condé, libéré en février 1651. A cette date, le Périgord se donne à la Fronde et Périgueux renoue avec les occasions perdues de son passé ligueur. En quelques mois et pour deux bonnes années, la guerre des châteaux et les sièges des bourgs et des villes font rage jusqu'à la reprise en main monarchique, amplement facilitée par la lassitude des bourgeois. Mazarin sait récompenser les fidélités ; il fait anoblir les plus courageux et accorde aux rares villes restées du côté du roi, comme Nontron, la plus belle des récompenses : une exemption d'impôts.

Le dernier acte de l'apprentissage douloureux de l'ordre monarchique est celui de la vendange des âmes à la suite de la révocation de l'édit de Nantes en 1685. Sa préparation a été longue et souterraine. L'Eglise catholique a donné le ton en faisant du Périgord une terre de reconquête dès la fin des guerres de Religion. Patiemment, des évêques et des abbés ont joué le rôle de missionnaires.

Certains ont parfaitement réussi dans leur tâche comme Alain de Solminihac, abbé de Chancelade, qui se consacre à la restauration spirituelle et matérielle de son abbaye et lui redonne le dynamisme religieux qui avait été le sien au Moyen Age. Lentement, les curés reprennent possession de leurs paroisses, y résident plus souvent et se mettent à tenir la comptabilité des baptêmes, des mariages et des sépultures dans les registres paroissiaux qui sont une preuve de l'attention portée au salut de leurs fidèles. La leçon est longue et difficile à apprendre, comme l'ont montré les travaux de Guy Mandon, car les curés périgourdins ne sont ni des experts en théologie, ni des modèles de vertu. Mais, bon an mal an, la plupart exercent avec conscience leur mission pastorale. En cas de défaillance, leurs évêques les ramènent dans le droit chemin tel François II de Salignac qui, en vingt-huit ans d'épiscopat à Sarlat, redonne gloire et éclat à son diocèse dont le chanoine Tarde avait dressé un tableau désolant au début du siècle. Avant de disparaître, en 1688, l'évêque de Sarlat a vu se réaliser le dernier acte de la reconquête catholique : la révocation de l'édit de Nantes.

Brutalement ou insidieusement, le protestantisme a perdu du terrain en

Sarlat, chœur de la cathédrale Saint-Sacerdos. Son évêque, François II de Salignac, redonna un grand lustre à son diocèse.

Périgord durant tout le XVIIᵉ siècle face aux forces coalisées de la monarchie et du catholicisme. La ruine du parti protestant, le démantèlement des places de sûreté, la conversion de grandes familles de la noblesse ont préparé le terrain et diminué les risques de résistance. Mais l'essentiel reste à faire dans les foyers protestants de la moyenne Dordogne : convertir de force tous ceux qui doivent désormais obéir à l'édit de Fontainebleau qui révoque l'édit de Nantes. En Périgord, cette « vendange des âmes » est impitoyable. En quelques jours, à la fin d'août 1685, les dragons du roi s'installent et se comportent en pays conquis

Le cloître des Récollets à Bergerac. A la suite de la révocation de l'Edit de Nantes, c'est à l'église des Récollets que les membres des anciennes familles protestantes venaient abjurer.

pendant que leur escorte de prêtres récolte les fruits amers des abjurations. En quelques heures, Prigonrieux, Le Fleix, Eymet, Issigeac, Monbazillac se rendent à la religion du roi. A Bergerac, l'église des Récollets, qui ne désemplit pas, voit défiler les membres des anciennes familles protestantes pour y recevoir l'absolution. Combien furent convertis sincèrement ou du bout des lèvres ? Trente mille ? Cinquante mille ? A quoi bon s'obstiner à produire des chiffres, puisque aucune estimation ne tient compte de l'authenticité du choix religieux. La plupart des « nouveaux convertis » se préparent à vivre autrement leur vraie religion et font entrer leur foi dans la clandestinité. Quelques-uns renouent sincèrement avec la religion de leurs ancêtres. D'autres, enfin, quittent le royaume pour les pays du Refuge : les uns, par voie de terre, pour la Suisse et l'Allemagne, les autres, par la Dordogne et l'Océan, pour l'Angleterre et les Provinces-Unies. Cette dernière destination est la plus recherchée des Bergeracois. Ne sont-ils pas certains d'y trouver un réseau de solidarités familiales tissé par le commerce des vins et une animosité sans égale envers Louis XIV qui ne supporte pas l'existence de cette « république » de marchands calvinistes qui ose lui résister ? Les souffrances des fugitifs et celles de leurs familles restées au pays ne font que commencer. Pour les partager, il convient de lire les *Mémoires* du bergeracois Jean Marteilhe qui a survécu à douze ans de galère avant de finir ses jours en Hollande.

UNE FURIEUSE QUANTITÉ DE PAUVRES : LA FIN DU GRAND SIÈCLE EN PÉRIGORD

Les résistances sont loin d'être apaisées au moment où débute la terrible crise économique contemporaine des années 1692, 1693 et 1694. Elle n'épargne aucune des provinces du royaume, mais frappe plus cruellement le Périgord en raison d'un enchaînement de calamités révélatrices de la fragilité de l'agriculture et de la vulnérabilité de la paysannerie. Tout commence par de mauvais hivers trop froids et trop humides qui ruinent les futures récoltes de blé et de maïs, et gèlent ces arbres à pain que sont les châtaigniers. Des étés porteurs d'orages et de grêle anéantissent la promesse des vendanges et paralysent le commerce. Privés d'argent, obligés de vendre leurs meubles et, surtout, leurs cochons pour payer la taille, les paysans en sont réduits à mourir de faim ou devenir mendiants. En même temps, la maladie ne cesse de gagner du terrain et décime les foyers en les transformant en familles « en miettes », condamnées à survivre. Au total, soixante mille personnes – soit le sixième de la population – seraient mortes en 1693 et 1694, faute de soins et de nourriture, en dépit des appels au secours des évêques de Périgueux et de Sarlat, relayés par l'intendant de Guyenne. Quand, en 1695, l'horizon s'éclaircit grâce à de meilleures récoltes et à la reprise du nourrissage des cochons, le commerce ne répond pas aux offres de vente et les prix restent tellement bas que les denrées pourrissent sur place. Le siècle des Lumières commence en Périgord sous des ombres tenaces.

Pourtant, les résistances et la misère du Grand Siècle n'ont pas été seulement sources de malheurs, car elles ont contribué à forger une solidarité qui prépare l'élaboration de revendications périgourdines communes. Même les divisions religieuses connaissent une cicatrisation partielle malgré, çà et là, des crises douloureuses. Elle s'exprime dans la coexistence sociale et familiale des deux communautés qui se partagent le destin de Bergerac : les catholiques, en politique, et les protestants, évincés des offices, dans le commerce et la possession des grands vignobles, comme le montrent les travaux de René Costedoat et de Michel Combet.

Au XVIIIe siècle, le Périgord reste un pays profondément rural avec des fermes isolées, des hameaux ou des villages, comme ici à Thonac.

OMBRES SUR LE PÉRIGORD AU SIÈCLE DES LUMIÈRES

Au moment où la plupart des régions profitent de la croissance économique du XVIIIe siècle et bénéficient du rayonnement des idées nouvelles, le Périgord accuse un retard grandissant. Aucune de ses villes ne participe à l'essor urbain si caractéristique du dernier siècle de l'Ancien Régime. Certes, leurs paysages se modifient sous l'impulsion d'intendants du roi qui font œuvre d'urbanistes comme Tourny à Périgueux, mais ni leur économie ni leur population ne subissent les effets bénéfiques de la prospérité de la façade atlantique avec le port de Bordeaux pour chef d'orchestre. Même Bergerac souffre de la désaffection de sa clientèle hollandaise et nordique qui préfère à ses vins blancs les vins rosés de la Provence. Quant au cortège paisible des petites villes ou des gros bourgs, à l'ombre de leurs châteaux, il continue de précéder la multitude des villages, des hameaux, des grosses fermes isolées et des modestes borderies qui font du Périgord un pays profondément rural, exposé à tous les caprices du temps et de la nature. Aucune génération n'échappe au retour d'épidémies saisonnières qui donnent à la mort primauté sur la vie. Aucune paroisse n'est protégée, même si les brouillards des vallées ou les fièvres des marais de la Double aggravent la propagation des « mortalités ». Aucune catégorie sociale n'est épargnée, même si les très jeunes enfants et les familles pauvres paient plus durement leur tribut à la mort, sans oublier l'hécatombe des enfants morts en nourrice, souvent après avoir été abandonnés. Le sous-enregistrement des décès des nourrissons et des jeunes enfants ne permet pas de mesurer l'ampleur de la mortalité infantile en Périgord. Son trop lent déclin au siècle suivant témoigne à lui seul de la gravité de la situation antérieure.

Les labours de l'automne dans la vallée de la Vézère. Au XVIIIᵉ siècle, on assiste à une forte émigration de Périgourdins, en particulier vers Bordeaux et sa région, car les ressources agricoles ne suffisent plus à nourrir un pays surpeuplé.

Malgré ces prélèvements de vies humaines, le Périgord souffre déjà de surpeuplement au regard des ressources et des activités offertes à ses habitants. Certes, les défrichements continuent, mais les dernières terres conquises sont les plus pauvres et les plus malaisées à cultiver. Certes, la culture du blé d'Espagne (maïs) gagne du terrain et s'avère la meilleure nourricière de populations atteintes de malnutrition, mais le remède ne peut conjurer l'ampleur du mal, ni freiner les évasions vers d'autres cieux plus cléments ou plus tentants. Après 1750, les Périgourdins, comme l'ont montré les travaux de Jean-Pierre Poussou, prennent la tête des Aquitains dans la « ruée » vers Bordeaux. Les débuts de ce grand exode rural ont été précédés des départs isolés de cadets de la noblesse périgourdine voués au métier des armes et de migrations saisonnières des travailleurs de la terre vers les lieux de grandes récoltes. Ils ont tracé le sillon de l'émigration périgourdine et lui ont donné des lettres de gloire militaire, de belles fortunes amassées aux Antilles, de dépaysement définitif comme celui des Périgourdins du régiment de Carignan-Salières installé au Canada. Certains destins, exceptionnels, ont même dicté des *Mémoires* à leurs heureux élus : ainsi du maréchal de La Colonie, originaire de Thenon, qui fait une belle carrière en Bavière aux côtés d'Electeur, allié plus ou moins heureux de Louis XIV, avant de s'illustrer contre les Turcs au siège de Belgrade, en août 1718. Le voilà débarrassé des origines très incertaines de sa noblesse et pourvu d'honneurs et de biens qui rejaillissent sur sa descendance, désormais installée à Bordeaux.

Cette conscience de perdre des forces vives au profit de la capitale de la Guyenne et la nécessité économique d'une revanche dictent à l'agronome périgourdin Goyon de La Plombanie un projet original et gigantesque contenu dans son traité sur *La France agricole et marchande*. Il s'agit ni plus ni moins de transformer le Périgord en une oasis irriguée de canaux et de lacs de barrages, grâce au détournement des eaux de ses rivières. Ainsi privée de ses débouchés fluviaux et de leurs richesses en alluvions, la ville de Bordeaux devra se contenter de la venue des eaux de l'Océan dans l'immense couloir de son estuaire, séparé par une digue protectrice de l'arrière-pays. Au temps de la physiocratie, ce projet en dit long sur le souhait d'une nouvelle répartition des richesses d'une nature trop prodigue pour les uns, trop ingrate pour les autres. Aussi, dans ce XVIIIe siècle tellement contrasté, les Périgourdins n'ont-ils pas attendu la science des agronomes pour exploiter au mieux les produits d'un terroir qui n'a plus de secrets pour eux grâce aux recettes ancestrales dont ils vivent et font profiter ceux qu'ils veulent honorer.

Les pâtés truffés ou le fondement de la gastronomie du Périgord.

LES PETITS PLATS DANS LES GRANDS

A quel moment naît la gastronomie périgourdine ? Nul ne le sait vraiment et toutes les hypothèses peuvent être avancées. Une chose est sûre : elle se répand et fait parler d'elle au XVIIIe siècle. Pas seulement parce que les bourgeois de Périgueux envoient des pâtés truffés à la Cour pour soutenir le bien-fondé de leurs requêtes, mais aussi parce que de nombreux voyageurs s'en régalent et en parlent. Plutôt que de s'interroger sur le moment de sa naissance, mieux vaut se pencher sur les deux arts culinaires qui l'ont alimentée à travers les âges : l'art des chaumières et celui des châteaux ou, si l'on préfère, la nourriture paysanne et la nourriture châtelaine. La première se contente de peu mais l'accommode bien. De mère en fille, des générations se sont transmis les recettes et les procédés de conservation qui font durer toute l'année, sous la graisse ou dans le sel, les morceaux du cochon, du museau à la queue, en attendant le sacrifice hivernal de son successeur au moment où toute la maisonnée est mobilisée, en février, pour le rituel de la mise à mort et de la fête qui l'accompagne. Rien n'est jeté, tout est lavé et nettoyé, car tout peut être cuisiné. Les morceaux qui échappent à la conservation sont destinés aux repas de famille prévus à ce moment de l'année : c'est ainsi que le calendrier des mariages périgourdins a longtemps été rythmé par le temps des « cochonnailles ». Le reste du temps, c'est-à-dire onze mois sur douze, on se nourrit de peu avec la soupe quotidienne, quelquefois enrichie de lard et toujours prolongée par le chabrol, dernière assiettée de soupe coupée de vin, avec des galettes de maïs et des châtaignes grillées ou blanchies conservées à l'abri des vers friands, eux aussi, de leur chair farineuse et odorante.

Les cuisines de Biron sont immenses, à l'image de celles d'autres grands châteaux. A droite, un potager du XVIIIe siècle.

Dans les châteaux, à partir du XVIe siècle, l'art culinaire, transmis par des cuisinières patentées ou par une domesticité déjà spécialisée, est fait d'abondance et de goût pour les produits rares et raffinés venus des pays voisins comme l'Italie ou l'Espagne, ou de terres plus lointaines comme les Indes et les Antilles. Depuis le haut Moyen Age, on y raffole du gibier bien faisandé que l'on sait associer avec les champignons, quitte à endurer les tourments de la goutte ou de la maladie de la pierre qui persécutent les habitués d'une nourriture riche et épicée. On y apprécie les volailles qui accompagnent le paiement des droits seigneuriaux ou font partie des baux de métayage. Ce sont ces produits du terroir qu'ennoblit l'odeur des truffes, ces fruits ténébreux du sol dont on raffole au siècle des Lumières, à en juger par les plantations de chênes truffiers, particulièrement soignés et surveillés par leurs propriétaires. Fille de Pénurie et d'Abondance, la cuisine périgourdine est un gage à toute épreuve de l'éternité du Périgord...

Le château du Roc à Saint-André-d'Allas.

Eternité du Périgord

La Révolution en ses débuts ne prend pas les Périgourdins au dépourvu. N'ont-ils pas mis toute leur ardeur à la rédaction des cahiers de doléances destinés à leurs représentants aux Etats généraux convoqués pour le printemps 1789 ? D'ailleurs, avec un bel ensemble, les cahiers du tiers état, de la noblesse et du clergé réclament en priorité le rétablissement des Etats du Périgord. Leur demande se fonde sur l'ancienne existence de cette assemblée des trois ordres dont le souvenir a été ravivé, en 1711, dans les *Tables de Chaulnes*, par un homme d'Eglise de premier plan, le Périgourdin Fénelon, avant d'être entretenu par le courant d'idées hostile au despotisme ministériel du XVIIIe siècle. En 1788, l'abbé Joseph Prunis, chanoine de Chancelade, publie ses *Observations sur les Etats du Périgord*, enrichies de pièces justificatives qui, de 1406 à 1651, apportent les preuves du rôle fiscal et législatif des Etats, sans oublier le lourd dossier des querelles de préséances entre les quatre barons du Périgord – Beynac, Biron, Bourdeille et Mareuil. La passion érudite de Prunis doit être associée, dans la brûlante actualité de ce temps, au rôle exemplaire de la rébellion des Etats du Dauphiné, modèles des futurs Etats généraux. Ainsi ressuscités sous la plume des rédacteurs des cahiers, les Etats du Périgord sont présentés comme les garants des intérêts de la province et de ses habitants. Ils sont prévus pour s'assembler chaque année afin de décider du montant d'un impôt unique, proportionnel à la propriété et payable direc-

tement au trésor royal. Cet attachement aux Etats n'est pas seulement nostalgie d'un passé sublimé en âge d'or, elle est affirmation d'une identité périgourdine décrite en termes d'isolement, de médiocrité des sols et de pauvreté. Autant de désavantages, complaisamment soulignés dans les cahiers, qui font l'infortune du Périgord par rapport à ses voisins et surtout de Bordeaux, la grande ville dévoreuse des richesses et de la main-d'œuvre de son arrière-pays. Ce ressentiment était-il assez fort pour dresser quelques années plus tard, face au parti girondin, des députés périgourdins résolument montagnards ? La Révolution est aussi faite de pareilles revanches...

En attendant, ses débuts réveillent en Périgord des violences du passé. En juillet 1789, la Grande Peur traverse la région et tourbillonne quelque temps de paroisse en paroisse. Elle renoue avec les jacqueries du grand siècle sans leur ressembler puisque la naissance de l'Assemblée constituante et les décrets de la nuit du 4 août sont porteurs de victoires et de transformations radicales pour le monde rural. En quelques jours, le carcan séculaire et quotidien de la seigneurie cesse d'exister. Le bouleversement est si grand que les gains d'une telle libération sont difficiles à apprécier, surtout quand le juridisme s'en mêle et que la patience laisse place à l'impatience. C'est pourquoi la clause de rachat des droits réels, qui avantage les plus riches des laboureurs, rallume la jacquerie durant l'hiver 1790. Cette fois, des châteaux sont incendiés par les mêmes feux où se consument les preuves écrites des droits féodaux, les bancs d'église des seigneurs et les girouettes grinçantes jetées du plus haut des toits. A leur place,

Château de Fénelon. L'auteur des Tables de Chaulnes *et du* Télémaque, *Fénelon, est né dans ce château.*

fleurissent au printemps les « mais de joye », ces arbres de la liberté dont le Périgord peut revendiquer la primeur dans le royaume.

La naissance d'une administration toute nouvelle est contemporaine de cette période. Par décret du 26 janvier 1790, après accord avec les députés des départements voisins, est créé le département du Périgord. Les députés périgourdins de la Constituante réclament pour leur nouveau territoire des « limites telles que la Nature les a posées elle-même... et telles qu'elles sont parfaitement tracées sur la carte de Guyenne et dont Périgueux est le centre ». Autant cette dernière condition correspond au dessin du département, autant la première est loin d'être remplie faute de respect des frontières naturelles. Car ce n'est pas la géographie mais l'histoire qui a tracé les limites du département du Périgord, héritier lointain mais direct de l'antique cité des Pétrucores. Un mois après sa création, le 26 février 1760, le département abandonne son nom de Périgord pour celui de Dordogne : le divorce était prononcé d'avec la province de l'Ancien Régime. Mais les temps nouveaux n'ont pas effacé les rivalités comme le prouve la difficile désignation du chef-lieu. Allait-on pratiquer une alternance entre les trois principales villes – Bergerac, Périgueux et Sarlat – ou reconnaître, une fois pour toutes, la position centrale de Périgueux ? Cette dernière solution l'emporte le 7 septembre 1791 au grand regret plein d'amertume des deux villes évincées. La division du département en neuf districts – Belvès, Bergerac, Excideuil, Montignac, Montpon, Nontron, Périgueux, Ribérac et Sarlat – distingue les lieux qui ont joué un rôle dans l'histoire et l'économie périgourdines, même si la faveur n'est pas exempte de leur choix. Ainsi, Excideuil doit aux Talleyrand-Périgord, encore puissants en ces débuts de la Révolution, d'avoir été préféré à Thiviers qui réclame de prendre sa place. Le découpage ne s'arrête pas là, puisque chaque district a sous son autorité quelques-uns des 72 cantons qui composent le département et regroupent, à leur tour, 717 « communautés paroissiales » volontaires pour devenir des municipalités. La création de 72 justices de paix, autant que de cantons, complète l'acte de baptême d'une administration entièrement nouvelle et promise, après quelques suppressions et retouches, à une belle longévité. Enfin, le 12 juillet 1790, le vote de la Constitution civile du clergé réorganise entièrement l'Eglise et le clergé. En application du principe « un département, un évêque », le diocèse de Sarlat est supprimé et rattaché à celui de Périgueux. D'un simple trait de plume, Sarlat perd le bénéfice du don pontifical de Jean XXII, en 1317, et Périgueux retrouve son grand diocèse.

L'AUBE DES TEMPS NOUVEAUX EN PÉRIGORD

Comment les Périgourdins ont-ils ressenti ces immenses changements qui modifient leur existence, même s'ils ne le mesurent pas encore, trop occupés par les soucis quotidiens ? Comment réagissent-ils aux grands événements parisiens qui précipitent le cours de la Révolution et qu'ils apprennent toujours avec un retard de quatre à six jours ? L'annonce de la fuite de Louis XVI et de son arrestation à Varennes dans la nuit du 20 au 21 juin 1791 les laisse incrédules tellement elle est surprenante. Celle de la déclaration de la « patrie en danger » les inquiète au plus haut point, eux qui ont toujours résisté à la levée de soldats pour le roi. La nouvelle de la chute de la monarchie, le 10 août 1792, n'est pas une surprise pour ceux qui ont milité au sein des sociétés populaires et envoyé en grand nombre des adresses hostiles au maintien du roi. Et très rares sont les Périgourdins qui se proposent comme « otages » du souverain déchu. Est-ce la preuve que la majorité d'entre eux a cessé de croire en la monarchie ? En ces années décisives de la Révolution où la Convention prend le pouvoir et se

En Périgord comme ailleurs, la Révolution a contribué à développer la lecture des journaux.

prépare à de dramatiques déchirements politiques, il est bien difficile de répondre. L'ostentation des gestes d'hostilité à l'encontre des ennemis de la Révolution et la multiplication des cérémonies en faveur de la République naissante ne peuvent faire oublier la constitution de solides réseaux de protection autour des prêtres réfractaires et des parents d'émigrés contraints à la clandestinité. Combien sont-ils ces villageois qui, au péril de leur vie, cachent des ci-devant nobles dont ils dépendaient autrefois ? Etonnant renversement de rôles entre le village et le château qui continue, malgré tout, de prolonger leur union multiséculaire.

Sur les dix députés périgourdins élus à la Convention, neuf votent la mort du roi et se rangent aux côtés de la Montagne contre la Gironde. Le même engagement les conduit à ne rien pardonner aux Girondins proscrits qui se hasardent en Dordogne : si Louvet s'en sort bien lors de son « dangereux passage » dans le département, en novembre 1793, Valady n'a pas la même chance. Arrêté aux environs de Périgueux, il est conduit devant Roux-Fazillac, député de la Dordogne et représentant en mission, qui le fait traduire devant le tribunal révolutionnaire dont la sentence de mort est immédiate. A cette date, depuis trois mois déjà, en septembre 1793, la Terreur est à l'ordre du jour pour les ennemis de la République. Fidèle à la convention montagnarde, le département échappe aux terribles punitions des villes qui ont pris fait et cause pour les Girondins et des villages qui se sont donnés aux Vendéens. Les Périgourdins font l'apprentissage obligé d'un centralisme jacobin qui ne leur laisse aucun répit : réquisitions, taxations, respect du Maximum, certificats d'identité et de civisme sont leur lot quotidien, sans oublier la menace de l'enrôlement forcé dans les armées de la République. Car, depuis l'échec sanglant du bataillon de Pierre Beaupuy en Vendée, en mai 1793, même les volontaires les plus enthousiastes prêtent l'oreille aux propos défaitistes des rescapés, libérés sur ordre des Vendéens de « l'armée catholique et royale ».

Mais la Terreur, selon la volonté de ceux qui l'ont instituée, doit avoir un tout autre visage pour les bons citoyens aptes à devenir des hommes nouveaux sous la conduite des représentants en mission, envoyés extraordinaires de la Convention. Les Périgourdins se plient aux commandements de ces députés parmi lesquels se distinguent Roux-Fazillac et Lakanal. Leur tâche est immense puisqu'ils ont tout à apprendre au peuple afin de le guider sur le chemin de la Vertu : une nouvelle religion, celle de l'Etre suprême, vainqueur de tous les fanatismes ; de nouvelles fêtes, vouées à la célébration des âges de la vie ; un nouveau calendrier, rythmé par les cycles de la Nature ; des prénoms nouveaux pour leurs enfants délivrés de tous les saints du calendrier chrétien ; des appellations nouvelles pour leurs villages et leurs rues ; de nouvelles écoles ouvertes à tous pour l'épanouissement des talents de leurs fils et de leurs filles. Enfin, au sein de l'immense chantier matériel et symbolique de la disparition des signes de féodalité, de grands châteaux périgourdins sont punis et démolis pierre par pierre. Leurs matériaux, régénérés, sont réemployés dans des monuments utiles au genre humain, à l'exemple de la reconstruction du pont de Bergerac emporté lors de la grande inondation de mars 1783. C'est ainsi que le grand château de La Force est condamné à disparaître comme ceux de Badefols ou de Sainte-Alvère ; certains ont droit à plus de clémence à condition que soient sacrifiés leurs défenses, leurs tours et leurs donjons. Quelques-uns, enfin, sont gardés presque intacts à l'intention des générations futures comme témoins à charge d'un Ancien Régime proscrit.

Est-ce l'obéissance à ce nouvel ordre qui vaut au Périgord d'être épargné par la Terreur si l'on se fonde sur le chiffre relativement faible des exécutions capitales ? Le nombre élevé des émigrés, reflet d'un fort enracinement nobiliaire récemment étudié par Joëlle Chevé, aurait pu faire de lui un territoire d'élection de la justice révolutionnaire. Mais l'attitude des habitants, en dépit de variations locales, a évité des excès de toute sorte puisqu'une appréciation nationale du phénomène de déchristianisation permet de situer le département parmi les plus modérés. Sans oublier la part de survie des pratiques anciennes que la justice fait surgir accidentellement de la clandestinité : ici, des paysans se rendent à la messe de minuit par des sentiers détournés ; là, des paysans continuent de marquer le repos dominical et de bouder le rythme décadaire du nouveau calendrier. Cette cohabitation impossible du passé et du présent explique l'intense soulagement qui marque la chute de Robespierre et la fin de la Terreur. Alors commencent les années les plus noires du ravitaillement des Périgourdins dans un département pauvre, écartelé entre la survie de ses habitants et l'obligation de nourrir les soldats des armées de la République. 1795, 1796 et 1797 sont marquées du sceau de la misère qui rejoint, à un siècle de distance exactement, la grande famine des dernières années du grand siècle. Mais tout n'est pas sombre dans ce tableau : il se peut que ces années très difficiles du Directoire aient donné aux Périgourdins l'occasion de se préparer aux joutes politiques du siècle suivant en permettant un face-à-face pacifique entre les partisans de la République et ceux qui aspiraient au retour de la Royauté.

NOTABLES ET PAYSANS PÉRIGOURDINS

La fin de la pénurie alimentaire et la mise au pas autoritaire du Consulat et de l'Empire ramènent l'ordre dans un Périgord qui croit en Bonaparte, même quand il devient Napoléon Ier. Déjà, la vie rurale, cœur de son économie, présente les caractéristiques qui seront les siennes jusqu'à la Première Guerre mondiale. Elle est fondée sur les relations entre notables et paysans, entre propriétaires et exploitants de la terre. Ces relations sont loin d'être nouvelles puisque leurs pratiques sont décrites, au moins depuis le XVe siècle, dans les contrats de fermage et de métayage passés devant notaires, ces garants des conventions humaines. Mais, jusqu'à la Révolution, le seigneur s'est souvent confondu avec le plus grand propriétaire de la paroisse. Si tel n'était pas le cas, il gardait toute autorité pour juger tensions et conflits. La disparition, en 1790, du cadre seigneurial met désormais face à face ceux qui possèdent la terre et ceux qui la leur travaillent.

La forge de Savignac-Lédrier, située à l'entrée des gorges de l'Auvézère, est dominée par la demeure des maîtres de forge.

Or, les travailleurs de la terre savent ou pressentent qu'ils ont changé de condition grâce à la Révolution. N'ont-ils pas d'ailleurs changé de profession ? Avant 1789, ils étaient brassiers, manouvriers, journaliers. Les voilà devenus cultivateurs ou agriculteurs parce que les philosophes et physiocrates du XVIIIe siècle, qui avaient pour credo la terre et sa propriété, ont voulu donner toute sa dignité au monde paysan. Au même moment, les seigneurs cessaient d'exister, les nobles perdaient leur qualité et les émigrés étaient privés de leurs biens, devenus biens nationaux. Quant aux biens de l'Eglise, le plus grand propriétaire de l'ancien royaume, ils étaient mis à la disposition de la nation. Un tel bouleversement a-t-il modifié en profondeur la répartition des terres en Périgord où la noblesse était riche de grandes métairies, de forêts, de moulins et de forges ? René Pijassou a montré, pour les districts de Nontron et d'Excideuil, que la vente des biens nationaux s'était traduite par d'importants transferts fonciers.

Quels furent les bénéficiaires de cette manne ? D'abord, la bourgeoisie des villes et des bourgs qui obtient enfin un bel agrandissement de ses grignotages tenaces et anciens des biens paysans frappés d'endettement. Parmi ces gagnants se trouvent les notaires qui cueillent des fruits qu'ils guignaient depuis longtemps. On y trouve des maîtres de forges, ces *hommes de fer* étudiés par Yvon Lamy, heureux bénéficiaires des livraisons de boulets et de canons lors des conflits maritimes du XVIIIe siècle et futurs profiteurs des guerres napoléoniennes contre l'Europe coalisée. On y trouve aussi des paysans et des artisans. Leur nombre étonne, même si leurs achats ne se comparent pas à ceux de la bourgeoisie. Parmi eux se détachent quelques gros laboureurs qui réalisent en quelques années les économies cumulées de familles épargnées par le destin et les crises de subsistance. Il leur arrive même de ravir à leur ancien seigneur ses terres et son château. Car, toutes origines confondues, ces nouveaux notables se substituent à l'ancienne noblesse.

En 1815, celle-ci retrouve sa place au sein de la monarchie restaurée. Il n'est plus question pour elle de ressusciter l'ordre ancien malgré les exigences d'ultraroyalistes qui aiment en découdre avec les parvenus de la Révolution ou les officiers d'Empire sous le patronage bienveillant d'une Eglise ragaillardie par l'union du trône et de l'autel. Mais les notables ont beaucoup d'atouts en mains. Ils ont la politique qui leur donne le premier rôle dans des municipalités qu'ils contrôlent sans peine grâce au suffrage censitaire. Ils possèdent la terre qu'ils font cultiver avec la passion et l'attention que donnent l'instinct de propriété et l'ambition de léguer à leurs enfants l'héritage qu'eux n'ont pas trouvé à leur naissance. Ils ont parfois l'honneur de s'être distingués lors de l'épopée napoléonienne, à l'exemple d'un Bugeaud de la Piconnerie. Retiré sur ses terres en 1815, le colonel Bugeaud fait de son domaine de la Durantie un haut lieu de l'agriculture et de l'agronomie en Périgord. La conquête et la pacification de l'Algérie attireront sous d'autres cieux le père Bugeaud et sa casquette.

L'autorité et le pouvoir des notables

La Durantie, château du maréchal Bugeaud qui y développa une agronomie nouvelle et l'appliqua à son domaine.

expliquent, sans doute, le calme relatif de la révolution de 1830 en Périgord ainsi que le rôle majeur des conservateurs durant la monarchie de Juillet, même si, encore souterrains, circulent de veillées en veillées des récits de la légende napoléonienne et des chansons républicaines. La nostalgie de la République resurgit avec la révolution de 1848 et réveille les colères paysannes. En mai 1849, les élections à l'assemblée législative donnent l'avantage aux « montagnards ». La réaction défensive des notables brise l'élan de cette victoire et leur redonne la main pour préparer le succès électoral de l'un des leurs : Pierre Magne. Ses origines modestes, de brillantes études, une belle carrière d'avocat, une entrée remarquée dans les salons de la bourgeoisie de Périgueux servent de sésame à sa promotion de ministre au long cours après son ralliement à Louis Napoléon Bonaparte. A la suite du coup d'Etat du 2 décembre et des remous qu'il provoque à Bergerac, l'ordre est rétabli par le préfet Albert de Calvimont, chef d'orchestre vigilant du changement de régime et de la répression contre les républicains. Le plébiscite de la fin décembre 1851 donne des résultats

La Vassaldie, dans le Ribéracois, faisait partie de ces domaines qui ont, les premiers, bénéficié des progrès de l'agriculture.

à la mesure de son intense préparation : 112 784 oui et 5 720 non. Le second Empire, proclamé l'année suivante, procure de belles années aux notables périgourdins, d'autant plus belles qu'ils savent pouvoir compter sur le bonapartisme ardent de leurs paysans.

RENTRÉE DANS LE RANG

Au XIXe siècle, la Dordogne rentre dans le rang. Tel est le sort de tous les départements, relais nécessaires et obligés d'une centralisation initiée sous l'Ancien Régime et accélérée sous la Révolution et l'Empire. La rançon de cette appartenance à la nation française, une et indivisible, est le reflux des réalités régionales désormais ravalées au rang de particularismes et ardemment combattues, à l'exemple des langues régionales assimilées à des patois. Cette rentrée dans le rang est aussi faite d'avantages nés d'une meilleure diffusion du progrès sous toutes ses formes et de l'installation d'une administration au service de la population. Au fur et à mesure que le

Ferme du pays d'Ans. Au milieu du XIXe siècle, 90% des Périgourdins sont encore des ruraux.

siècle avance, la mortalité infantile recule et la malnutrition endémique cède du terrain. En cinquante ans, de 1801 à 1851, la population passe de 409 445 à 505 789 habitants, chiffre jamais atteint et déjà promis au déclin dès les décen-

Le château d'Ajat. C'est à Ajat que Suzanne Lacore, jeune institutrice, occupa un de ses premiers postes. Imprégnée de l'œuvre d'E. Le Roy, elle sera l'une des trois premières femmes à entrer dans un gouvernement.

nies suivantes à cause de l'exode rural. Au milieu du XIXᵉ siècle, 90% des Périgourdins continuent de vivre à la campagne et occupent un territoire de plus en plus cultivé à force de nouvelles conquêtes des terres sur les forêts et les landes. Les notables en sont les initiateurs et les principaux bénéficiaires, mais ils ne sont pas les seuls puisque la propriété paysanne récolte aussi les profits de terres mieux cultivées, mieux enrichies et moins longtemps laissées en jachère entre deux récoltes. L'élevage, trop longtemps réduit à la médiocrité, commence à apporter aux paysans le gain des charrois à la morte saison des travaux des champs.

A cela s'ajoutent les grands travaux qui mettent fin, peu à peu, à l'isolement du département grâce au tracé des chemins vicinaux et à l'extension de routes qui méritent enfin ce nom. En même temps, sont résolues les difficultés, jusqu'alors insurmontables, de la navigation sur les sections moyennes des grandes rivières du département. Sur l'Isle, Périgueux accède au statut de port fluvial. Sur la Dordogne, Bergerac est dotée d'infrastructures portuaires en liaison avec la reconstruction du pont. Et le percement du canal de Mauzac à Tuilière supprime les rapides des Pesqueyroux et le saut de la Gratusse, effroi des bateliers du Haut Pays et providence des pilotes de Lalinde, experts à guider les bateaux dans l'étroit passage du lit à l'abri des remous et des hauts-fonds. Ces travaux considérables sont à peine achevés que les premières voies ferrées pénètrent en Périgord avec, pour centre primordial, la ville de Périgueux où s'installent bientôt les ateliers de la Compagnie d'Orléans. Les effets économique et démographique sont presque immédiats. En 1851, Périgueux qui comptait 13 547 habitants, en compte plus de 20 000 vingt ans plus tard. Bergerac qui, en 1851, restait proche de Périgueux avec ses 10 000 habitants, n'en compte qu'un millier de

ETERNITÉ DU PÉRIGORD

plus, vingt ans plus tard. Quant à Sarlat, elle s'est laissée distancer inéluctablement. Sa seule grande ouverture, en attendant l'arrivée tardive de la voie ferrée, est le percement de la « traverse » qui casse en deux la ville close du Moyen Age et de la Renaissance. Ses habitants saluent avec enthousiasme, le 6 juillet 1837, le premier coup de pioche qui consacre leur prochaine liaison au réseau des grandes routes.

Cette faible croissance urbaine reflète l'écrasante domination des activités rurales dans un département resté à l'écart de la révolution industrielle. Dans la seconde moitié du XIXe siècle, le Périgord est absent des grands rendez-vous de l'économie française. Il perd alors ses industries anciennes et laisse partir des habitants qu'il n'a plus les moyens de garder. Pire encore, la crise du phylloxéra ruine à jamais, dans la décennie 1880-1890, la culture de la vigne, à l'exception des vignobles du Bergeracois dont la qualité sera gage de renaissance. Autant de difficultés qui marquent les débuts de la Troisième République après l'alarme de la défaite de 1870 et avant le reflux du bonapartisme, un temps ravivé en Périgord par les succès électoraux du général Boulanger. Ceux qui ont longtemps combattu pour le retour de la République peuvent être satisfaits, même si leur joie est ternie par l'inquiétude des lendemains qui attendent les Périgourdins. Cette conscience d'une déchirure entre économie et politique, entre espérance et désespérance, s'exprime dans l'œuvre contemporaine d'Eugène Le Roy. C'est elle qui donne un sens à ses ouvrages voués au Périgord et aux luttes de ses personnages avec, à leur tête, Jacquou le Croquant et le médecin de l'*Ennemi de la Mort*. Au moment de la parution de *Jacquou le Croquant*, en 1900, une toute jeune institutrice, Suzanne Lacore, vient de quitter Thenon pour Fossemagne, puis pour Ajat, à quelques kilomètres de la forêt Barade et du château de l'Herm, hauts lieux des combats de Jacquou. Cultivée, imprégnée de l'œuvre d'Eugène Le Roy, enthousiaste pour son métier et sensible à la misère quotidienne de certains de ses élèves, elle commence une très longue carrière, en totale fidélité avec sa vocation première qui fera d'elle l'une des trois premières femmes à entrer dans un gouvernement, celui du Front Populaire de Léon Blum, en juin 1936.

Les romans d'Eugène Le Roy et l'œuvre éducative de Suzanne Lacore, profondément ancrés aux lieux de leur naissance, ne doivent rien au hasard. Ils traduisent l'exigence d'un total dévouement à un « pays » dépositaire d'une identité historique et culturelle enfin reconnue et même exaltée grâce à de récentes et étonnantes découvertes. Alors que la Dordogne vient de rentrer dans le rang, voilà que le Périgord occupe le devant de la scène...

La chapelle Saint-Rémy, près d'Auriac-du-Périgord, joue un grand rôle dans la vie de Jacquou le Croquant.

Voyages à l'aurore de l'humanité

La préhistoire fait son entrée dans l'histoire au bon moment puisque les découvertes scientifiques du XIXᵉ siècle lui permettent d'être identifiée, reconnue, expliquée et bientôt datée, en dépit de fouilles terriblement destructrices et d'inévitables querelles d'authenticité. Que se serait-il passé si les grottes des Eyzies avaient servi d'abris aux routiers de la guerre de Cent Ans ou si le sanctuaire de Lascaux avait été violé par les « chauffeurs » du Directoire pour y cacher les trésors de pièces dérobées à leurs victimes dont ils brûlaient la plante des pieds pour connaître l'emplacement de leur magot ? Il est vrai que la peur conjuguée des grottes et des ténèbres était la plus sûre des protections pour ces œuvres conservées dans la nuit des temps. Au XVIIIᵉ siècle, déjà, la curiosité l'emporte sur l'effroi et des repas aux chandelles ont lieu « au trou de la Cocagne » près du Bugue, tandis que l'on se passionne pour les concrétions calcaires découvertes dans d'autres grottes à la lueur des flambeaux et sous la conduite de guides familiers des lieux. Mais le temps des pionniers de la préhistoire en Périgord est contemporain de la première moitié du XIXᵉ siècle. Le plus ancien, Jouannet, professeur au collège de Sarlat, consacre tous ses moments de liberté à l'exploration du territoire des premiers Gaulois. Il croit en avoir retrouvé trace sur la colline d'Écornebœuf, près de Périgueux, en mettant au jour, en 1810, un gisement d'outils et d'armes de silex. En 1817, il explore la grotte de Combe Grenal, près de Domme, dont le sol argileux est « lardé » d'ossements tellement divers et nombreux qu'il est persuadé se trouver à l'endroit de l'ultime refuge d'êtres humains anéantis par le cataclysme de la fin de leur monde... De grotte en grotte, il change d'avis et remonte le temps en suggérant des âges pour les pierres et les métaux travaillés par « la main de l'homme ». En 1834, ses *Notes sur quelques antiquités du département de la Dordogne* représentent la première communication de préhistoire avant même la parution, entre 1847 et 1860, des *Antiquités celtiques et antédiluviennes* de Boucher de Perthes, acte de baptême de l'histoire d'avant l'histoire.

Jouannet meurt avant les grandes découvertes de la décennie 1860-1870 qui ont pour explorateurs Lartet et Christy et pour lieu d'élection les abris sous roche des Eyzies. En quelques années, ce village devient l'un des sanctuaires des origines de l'homme grâce aux mises à jour d'ossements qui déterminent la race de Cro Magnon. Des dates se détachent dans la chaîne des découvertes successives : en 1895, pour la première fois en Périgord, Rivière révèle l'existence de gravures et de peintures dans la grotte de La Mouthe, aux Eyzies. En 1900, la statuette de la « Vénus de Sireuil » sort de la glaise d'un chemin creux et, l'année suivante, l'abbé Breuil et Peyrony identifient les gravures des Combarelles et de Font de Gaume. L'art pariétal y trouve une reconnaissance qui amplifie la portée des découvertes à venir. A la veille de la Première Guerre mondiale, une loi de protection des sites préhistoriques et la décision de la création du musée des Eyzies consacrent la place éminente du Périgord dans l'histoire de l'humanité. Mais les découvertes sont loin d'être achevées : en septembre 1940, pour sauver leur chien tombé dans un trou, quatre adolescents entrevoient les

En 1900, la Vénus de Sireuil fut découverte, par hasard, dans l'ornière d'un chemin de la commune de Sireuil.

En page de droite : le grand taureau de Lascaux, qui deviendra symbole du département. Lascaux fut découverte par hasard, en septembre 1940, par quatre jeunes garçons qui jouaient dans les bois au-dessus de Montignac. C'est l'abbé Breuil qui en authentifia les peintures. Ci-dessous : Lascaux, la scène du puits.

Ci-dessus : la Vénus de Laussel fut découverte en 1911 sur un bloc reposant sur le sol de l'abri de Laussel qui se situe en contrebas du château du même nom (ci-contre). Celui-ci, dominant la Beune, fait face à Commarque sur la rive gauche.

immenses décors peints d'une caverne coupée du monde, des violences et des souffrances de la guerre qui débute : Lascaux vient de renaître. Dix jours plus tard, l'abbé Breuil authentifie le bestiaire aux couleurs rouges, noires, ocres et jaunes de « la chapelle sixtine de la préhistoire ».

Si le hasard joue son rôle, il n'est en rien l'élément déterminant de « l'invention » de la préhistoire qui naît d'un long processus historique et scientifique. La chance du Périgord est d'avoir été un territoire fécond et protecteur pour l'humanité pendant des centaines de milliers d'années. Comment ne pas s'enorgueillir d'un tel destin ? Comment ne pas en tirer profit pour relier les âges de l'histoire à ceux de la préhistoire ? Et comment ne pas s'interroger, enfin, sur l'avenir d'une région qui supporte un tel poids des ans ? Tous les érudits périgourdins et tous ceux que passionnent la culture et la science se sont posé ces questions à la fin du XIXe siècle. Même si leurs réponses varient selon leurs convictions politiques et religieuses, leurs attentes convergent pour donner toutes ses chances au Périgord dans le siècle qui commence. La lecture attentive des premiers numéros du bulletin de la Société historique et archéologique du Périgord, fondée en 1874, révèle cette confiance envers une histoire porteuse d'espérance, à condition de prendre la mesure des risques du passé dans le pays de l'Homme.

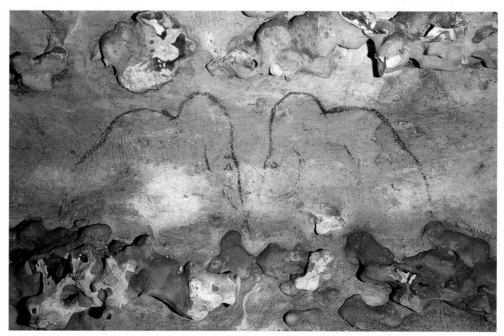

En haut, le bouquetin de l'abri Pataud (Les Eyzies). En bas, deux mammouths affrontés de la grotte de Rouffignac.

Jour de marché à Sarlat : c'est l'occasion pour chacun de se rencontrer et de marchander.

LES RISQUES DU PASSÉ

L'hécatombe de la Première Guerre mondiale, encore plus terrible dans les départements ruraux comme la Dordogne, ouvre l'ancienne province aux assauts des événements nationaux et européens du XXᵉ siècle. La défaite de 1940 et les années de guerre la précipitent trois siècles en arrière. Le temps est revenu des résistances devenues Résistance avec les mêmes refuges forestiers, les mêmes méthodes de guérilla et la même familiarité avec la clandestinité, mais l'adversaire s'est transformé en ennemi avec d'autres armes, une autre idéologie et une barbarie hors de mesure avec celle des invasions barbares. Le temps est revenu des mondes clos, repliés sur eux-mêmes, et de l'obsession quotidienne et lancinante d'un ravitaillement qui se dérobe aux circuits classiques pour emprunter les chemins et sentiers du marché noir. La Libération et la reconstruction ne signifient pas un retour à l'avant-guerre, mais une distance accrue avec un monde inexorablement perdu.

Avec le temps, les scènes de la vie rurale sont devenues des images d'Epinal ou des photos en noir et blanc de cartes postales et de calendriers. Ici, des femmes, la tête recouverte de leur coiffe brodée, cassent des noix et murmurent les refrains classiques des énoiseurs. Là, un vieux couple a pris place dans la cheminée où chauffe une marmite de soupe qui se détache à peine, malgré la lueur du foyer, de la lourde plaque de cheminée aux armes d'une forge périgourdine. Plus loin, des lavandières s'activent au lavoir situé en contrebas du vieux moulin de Périgueux, autrefois au bord de l'Isle.

Seuls les marchés des villes et des bourgs préservent encore, malgré quelques anachronismes criants, ces occasions de rencontres, de marchandages incessants et de circulation des nouvelles. Toutes ces images se sont figées très vite pour mieux répondre à un attrait touristique dont la précocité est remarquable. Dès les années 1950, peut-être charmés par une émission consacrée au Périgord, des Anglais visitent la région, en parlent autour d'eux à leur retour et préparent la venue de tout une génération curieuse et passionnée. Est-ce par inclination toute récente ? N'est-ce pas, plutôt, par goût d'un retour aux sources de leur longue histoire marquée par l'empreinte anglaise en Périgord au temps des rois-ducs ? Les mêmes questions se posent à propos des Hollandais, venus un peu plus tard en Périgord méridional, à proximité des paroisses où vivaient leurs familles au temps de la Révocation. Vacancière ou définitive, l'installation des touristes étrangers est contemporaine de la prise de conscience de l'inestimable valeur du patrimoine périgourdin.

Cette prise de conscience est elle aussi d'une étonnante précocité. Certes, le Périgord n'a pas connu les grands chantiers de la reconstruction d'après-guerre à l'exception des villages détruits par le passage sauvage et porteur de mort de la division « Das Reich », en 1944. C'est ainsi que Mouleydier renaît de ses cendres et garde pendant des années des allures de bourg tout neuf. Ailleurs, c'est le temps qui a été le principal destructeur des monuments même si, dès le Second Empire, des architectes se sont lancés avec enthousiasme dans la restauration des chefs-d'œuvre du passé. Parfois, leur imagination a été la plus forte. Mais doit-on éternellement reprocher à Abadie d'avoir redonné vie à l'abbaye de Brantôme et d'avoir transformé Saint-Front, la romane, en une cathédrale de style byzantin ?

Dans la seconde moitié du XXe siècle, leurs successeurs ont eu à cœur le respect de l'authenticité. Grâce à la loi Malraux d'août 1962, Sarlat a été la cité pionnière de cette restitution avec, pour consécration, une restauration exemplaire et sans concession. Bien plus tard, une rénovation réussie recrée le cœur médiéval et Renaissance de Périgueux et de Sarlat au point d'étonner leurs habitants qui ne soupçonnaient pas pareilles richesses architecturales. Mais il faut parfois du courage pour sauver des trésors que l'on croyait impérissables. Quand, en avril 1963, André Malraux décide la fermeture définitive de la grotte de Lascaux dont les peintures sont menacées par la « maladie verte », il interrompt brutalement l'irrésistible essor touristique de Montignac. Il faudra du

Les coupoles de Saint-Front au style byzantin voulu par Abadie.

Le clocher-donjon de Saint-Amand-de-Coly, un village qui s'est mobilisé pour sauvegarder son église-forteresse.

En page de droite : la rivière Dordogne a retrouvé, le temps des vacances, une activité.

temps et de l'argent pour reconstituer une grotte à l'identique, Lascaux II, merveille de recréation. Le département de la Dordogne est ainsi devenu le gardien de l'immense héritage artistique et monumental du Périgord à l'image de la forteresse de Biron sauvée des eaux du ciel qui détruisaient ses planchers et ses boiseries. Les propriétaires privés ont participé eux aussi au sauvetage de châteaux, quitte à finir ruinés et à ne jamais connaître la vie de château. Les Milandes, lieu d'accueil éphémère des enfants du monde de Joséphine Baker, a retrouvé sa vocation de château résidentiel. Bourdeilles a eu un destin similaire. Beynac, grâce à ses propriétaires successifs, a résisté aux vents qui prennent d'assaut sa falaise. Castelnaud a renoué avec son histoire pour devenir un musée de la guerre médiévale. Bannes a fait l'objet d'une restauration heureuse, comme Montréal. Lanquais, étonnant assemblage d'un château médiéval et d'un grand logis Renaissance, imité du Louvre, a été sauvegardé. Fages a été ressuscité après être passé bien près d'une destruction totale. Hautefort a retrouvé sa majesté du XVIIe siècle après les ravages d'un grand incendie. Villages, bourgs et petites villes ont suivi le mouvement à l'image de La Roque-Gageac, Domme, Sourzac et de tant d'autres... A Berbiguières, des Anglais ont reconstruit les maisons du village déserté par l'exode rural de ses habitants. Même la rivière de Dordogne a retrouvé une activité grâce aux gabarres nonchalantes qui promènent les touristes à la morte saison des eaux des marchandes, tandis que des canoës de plus en plus nombreux suivent son cours, à fleur de galets, comme les couraux des siècles passés.

Mais toute médaille a son revers. L'éclosion des maisons de style périgourdin, résidences secondaires pour la plupart, a mis à mal des paysages ou détruit l'harmonie des coteaux boisés. Ces « belles périgourdines sur sous-sol », tellement vantées par les agences immobilières, illustrent la difficulté de résister aux

Un chemin qui s'avance dans la forêt Barade. Il suffit de s'enfoncer un peu dans ces bois pour y retrouver le souvenir romanesque de Jacquou.

sirènes d'un tourisme avide de tirer profit de l'engouement pour la région et de la brièveté de la belle saison, même si l'arrière-saison est si belle en Périgord. Dans ces conditions, il peut être tentant de franchir le Rubicon entre l'histoire et la fiction, entre les personnages bien réels de l'histoire et ceux des romans ou du théâtre, surtout lorsqu'ils possèdent l'humanité de Jacquou ou le talent poétique et le nez de Cyrano de Bergerac... Qu'importe que « son » Bergerac ne soit pas la ville des bords de la Dordogne, mais une modeste seigneurie de la vallée de Chevreuse acquise par son père en mal de noblesse. Il a suffi qu'Edmond Rostand ait voulu chanter « la verte douceur des soirs sur la Dordogne » et exalter les gasconnades de son héros, laissant dans l'ombre le message libertin de l'œuvre philosophique du vrai Cyrano. Qu'importe que Jacquou n'ait jamais existé et n'ait jamais brûlé le château de l'Herm pour venger son père et punir le comte de Nansac. Il a suffi qu'Eugène Le Roy l'ait chargé de tout le fardeau des souffrances paysannes pour qu'il devienne l'incarnation du croquant périgourdin. Mais ni Cyrano, le héros qui se réclame de la lune, ni Jacquou, le héros qui se réclame de la terre, à la fois proches et lointains l'un de l'autre, ne sauraient résumer à eux seuls les destins des Périgourdins à travers les âges !

Le château de la Grande Filolie, en Sarladais, est un modèle de restauration.

Bibliographie

Alchimie du patrimoine (L'), discours et politiques, sous la direction d'Yvon LAMY, Maison des Sciences de l'Homme de l'Aquitaine, Bordeaux, 1996.

Jacques BEAUROY, *Vin et société à Bergerac du Moyen Age aux temps modernes*, Stanford, 1976.

Bergerac et le Bergeracois, Actes du XLIIe congrès d'études régionales de la Fédération historique du Sud-Ouest, Bordeaux,1992.

Pierre BARRIÈRE, *La Vie intellectuelle en Périgord, 1550-1800*, Bordeaux, 1936.

Yves-Marie BERCÉ, *Histoire des croquants*, Paris-Genève, 1974.

Laurent BOLARD, *La Renaissance en Périgord, châteaux et civilisation*, Périgueux, 1996.

Jean-Pierre BOST, *Le Périgord antique, Histoire du Périgord*, 1983, pp. 33-54.

Joëlle CHEVÉ, *La Noblesse du Périgord*, Paris, 1998.

Anne-Marie COCULA, *Brantôme, Amour et Gloire au temps des Valois*, Paris, 1986 ; *Etienne de La Boétie*, Bordeaux, 1995 ; *La Dordogne des bateliers*, rééd. Paris, 1995.

René COSTEDOAT, *Le Peuple « rebelle » des huguenots de Bergerac entre despotisme et tolérance*, Périgueux, 1987.

Michel COMBET, *Jeux des pouvoirs et familles : les élites municipales à Bergerac au XVIIIe siècle* (exemplaire dactylographié), Université de Toulouse-Le Mirail, mai 1997.

Bernard DOUGNAC, *Suzanne Lacore, 1875-1975*, Périgueux, 1996.

Gérard FAYOLLE, *Histoire du Périgord*, Périgueux, 1984.

Janine GARRISSON, *Protestants du Midi, 1559-1598*, Toulouse, rééd, 1991.

Arlette HIGOUNET, *Périgueux aux XIVe et XVe siècles. Etude de démographie historique*, Bordeaux, 1978.

Histoire du Périgord, sous la direction de Arlette Higounet-Nadal, Toulouse, 1983.

Yvon LAMY, *Hommes de fer en Périgord au XIXe siècle*, Lyon, 1987.

Guy MANDON, *La Société périgorde au siècle des Lumières : le clergé paroissial*, Périgueux, 1982.

Jean MARTEILHE, *Mémoires d'un galérien du Roi-Soleil*, présentation par André ZYSBERG, Le Temps retrouvé, Paris, 1982.

Mémoires de M. de La Colonie, présentation par Anne-Marie COCULA, Le Temps retrouvé, Paris, 1992.

Périgord révolutionnaire (Le), Le grand livre sur la Révolution en Périgord, Société historique et archéologique du Périgord, Périgueux, 1989.

Jean-Pierre POUSSOU, *Bordeaux et le Sud-Ouest au XVIIIe siècle, croissance économique et attraction urbaine*, Paris, 1983.

Sarlat et le Périgord, Actes du XXXIXe Congrès d'études régionales de la Fédération historique du Sud-Ouest, Société historique et archéologique du Périgord, 1987.

Le chevet roman de l'église de Saint-Léon-sur-Vézère est un des plus beaux qui soient.

Table des matières

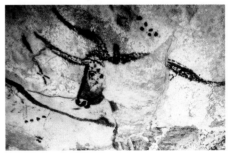

En pages suivantes : le petit village de Bars avec son église au beau clocher-mur se situe à l'oréede la forêt Barade.